U0064618

劉福春・李怡 主編

民國文學珍稀文獻集成

第一輯

新詩舊集影印叢編　第30冊

【黃俊卷】

戀中心影

上海：新文化書社 1923 年 1 月版

黃俊 著

【汪劍餘卷】

菊園

上海：新文化書社 1926 年 1 月版

汪劍餘 著

花木蘭文化出版社

國家圖書館出版品預行編目資料

戀中心影／黃俊 著　菊園／汪劍餘 著 -- 初版 -- 新北市：花木蘭文化出版社，2016

〔民 105〕

124 面／126 面；19×26 公分

(民國文學珍稀文獻集成・第一輯・新詩舊集影印叢編　第 30 冊)

ISBN：978-986-404-622-5（套書精裝）

831.8　　105002931

ISBN-978-986-404-622-5

民國文學珍稀文獻集成・第一輯・新詩舊集影印叢編（1-50 冊）

第 30 冊

戀中心影
菊園

著　　者　黃俊／汪劍餘

主　　編　劉福春、李怡

企　　劃　首都師範大學中國詩歌研究中心

北京師範大學民國歷史文化與文學研究中心

（臺灣）政治大學民國歷史文化與文學研究中心

總 編 輯　杜潔祥

副總編輯　楊嘉樂

編　　輯　許郁翎

出　　版　花木蘭文化出版社

社　　長　高小娟

聯絡地址　235 新北市中和區中安街七二號十三樓

電話：02-2923-1455／傳眞：02-2923-1452

網　　址　http://www.huamulan.tw 信箱 hml 810518@gmail.com

印　　刷　普羅文化出版廣告事業

初　　版　2016 年 4 月

定　　價　第一輯 1-50 冊（精裝）新台幣 120,000 元

戀中心影

黃俊 著

黃俊，生平不詳。

新文化書社（上海）一九二三年一月出版。原書三十二開。影印所用底本版權頁缺。

神州文學社叢書第一種
詩歌集
戀中心影
耒陽黃
上海新文化書社發行

汪序

倫多說：「凡關於重大的志趣，能擬的藝術而精美的，第一就是詩；詩中又以具有悲痛之性質的為最好。」I and Ir——「All the imitative arts have delight for their principal object; the first of these is poetry; the lighest of p etr, is the tr gic;」還有一句話是同我國所謂「詩以愁工」了。又我國詩的代表，首先當以詩經和楚辭，而詩經第一章關雎，就是言戀愛；楚辭中離騷，湘君，湘夫人，雲中君，山鬼等篇，大多是言戀愛，所以戀愛可說就是詩的泉源。

我已泛泛地把詩的性質說了一下，再來說到蕙章的詩上去。蕙章的戀中心影的成分，除了少數言別的情感外，其餘就是悲和戀愛兩大原子。當在初戀的時期，就到愁城中居住，詩也因愁苦一天一天進步起來；後來生活日近悲慘，詩就成了血和淚的結晶；現在戀愛已成功了，悲慘的惡魔已去了；可是那條愁腸沒有換過，還是淚痕。至於那一首是血那一首是淚，那一首是血和淚，我可不必多說，請閱者此書就知道了。

憲章詩的體裁不是專法那一派，又不是遵舊排新，亦不是遠新排舊，乃是舊和新的一種混合物；因平日對於舊詩和新詩二者兼讀，不期然而然成了此種混合物。我們只求能表現作者的眞情感出來，又能取悅大多數的人們，原不管舊和新了。

今夜已深了，天又雨雪，我草草寫了這幾句話拿來做詩序，實在慚愧，請閱者和憲章原諒，原諒！

十二年一月廿九日汪劍餘序於南方大學

自序

我的性情，最喜歡文學；對於文學各類，尤喜詩詞。當我最煩悶的時候，我若讀幾首詩詞或寫幾首詩，至少要使我的煩悶減少一點；所以詩詞是我的安慰者，我也就是詩詞的良伴了。

當我的感情激盪的時候，我總要想法子去發洩牠；倘若不發洩，就好像生了什麼大病，一刻也不能安。所以我歡喜的時候，我就要大笑；倘若笑還不能完全發洩我的歡喜之情，我就要拿筆寫幾行詩。當我悲哀的時候，我就要哭泣；倘若哭泣還不能完全發洩我的悲哀之情，我也要拿筆寫幾首詩。我寫詩的時候，我只管把我所要說的話，痛痛快快的說出來。卜子夏在毛詩序裏說道：『詩者，志之所之也，在心爲志，發言爲詩。情動于中，而形于言；言之不足，故嗟歎之；嗟歎之不足，故永歌之……』劉勰在他的文心雕龍裏的明詩說道：『詩者，持也；持人情性。……人稟七情，應物斯感；感物吟志，莫非自然。』我覺得這兩位先生說的話，眞是最好不過的了。今人胡適之先生說：『有什麼話，說什麼話；話怎麼說，便怎麼說。』這幾句論詩的話，說得何等痛快！所以我寫詩，不曉得用什麼格律，不曉得模倣什麼體裁，尤其不曉得忌諱法利賽人口裏所說的什麼道德　我只管把我所要發現的情感，赤裸裸的，洩出來，我腹中所要說的話，痛痛快快的說出來。我寫完一首詩之後，我總要把她高聲朗誦的讀幾遍；我並且希望別人也讀幾遍。——說奇怪的，我總想讀我的詩的人，要和我發生同樣的情感。我既然有這樣的特性和這樣的野心，所以不管別人將來批評我這戀中心影有無藝術的價值，竟公然大胆的把牠公開了！

中華民國十二年一月二十七日黃俊序于上海南方大學。

目錄

戀中心影

煩悶歌
思靜涵
懷莘耕
讀蔡文姬胡笳十八拍

第二輯
戀中心影
抒痛
聞父病
斷腸書
鳴不平

第三輯
別小朋友

3

暫別來信
與靜涵暫別
你今下午一去
爲何靜愛尙不臨
船老闆喊聲開船了
這是奶奶的心思
沒有人偎我
十天的哥哥
誰摟我
輪船來了
夜間的冷風
數字竟被君猜破

第四輯

留別同班辭

（一）

朋友，
親愛的朋友呵！
我們三年相聚首，
朝夕互切磋。
我才雖愚魯；
也被薰陶！
而今忽地離別，
使我心若刀割

（二）

朋友，

親愛，朋友呵！
我們家隔數百里，
相處一堂，
鴻雁已三號：
我們泅於泅匕愛之江！
我們浴於滚匕愛之河！
而今忽地離別
方寸亂如麻，
涕泣滂沱！

(三)

朋友，
親愛的朋友呵！

生離，人生大恨事！
可奈何！
奈若何！
唉！呢呢似兒女，
自來害事甚多！
揮我橫磨劍，
斬除此情魔！
乘風破浪去，
有何可傷悼！
「相別！相——相別，」
祝君等康健安樂！

——一〇，一二，六。長沙——

憶潛（一）

劈劈拍拍聲喧，
我站着門口，
做個什麽驗劵員。
忽地來了你，
和我相對站門邊。
笑容可掬地放言高語，
精神越振作，什麽倦！
「湖南有這樣開明的女子，」
自此後，
腦中常盤旋！

「假若她和我做朋友，
我是十二分的情願！」

（二）

我北上，
嶽雲同學盡人皆知，
你問我：
「動身何時？」
我因此，
心依依！
寫一封信，
抒我情懷；
你自稱「妹婿」

你答我「承兄不棄。」
我便鉄石心腸也牽情惹意！
復承你趨送便河邊，
佇立良久目不移，
感激倍增悽！

（三）

汽筒嗚嗚叫，
腦海翻波不知疲。
爲的是酒妹，
爲的是再會你難期！
傷心！………
心痛不可支！

只得勉强念一句：
「潛妹
多多通信，
互表情意！」

——一〇，一二，一三。漢口——

潛信

「黃先生！」
號房手上拿着一封信。
睡眼惺忪伸手接，
冷風侵！
冷冰冰地砭人阿！
我也殘燈光下細細認。

戀中心影

「呵唉！
誰們爲甚？
我和她，純潔似冰霜，
魚雁往來，
原爲互告情境；
卽表情，
又何病？
疑我和她有曖昧，
她們竟何心？
誣了我，
不要緊；
她的名譽掃地，

我何忍！」
腦海翻波，洶洶湧，
輾轉牀上，一寐也不成！
恨社會？
恨她們？
唉！快逐惡濤——禮教之鬼！

——一〇，一二，二九〇北京——

贈掞庭

註 潛卽靜涵

臨別蒙贈詩，
中心甚感激！
復送車站上，

戀中心影

離人更依依一

驪歌為我忙，

盼睇目不移；

汽笛已數叫，

尚見吾兄儀。

在校只惜別，

誰意武長車中行人淚下如連絲！

掞庭吾同志，

明年五月前門來歡迎！

執手昵昵語，

圍爐誦古詩，

恐是明年今日。

暢快死了眞佗！
哈哈！嘻嘻！

——一一，一，十三。北京——

讀哀哀詞

夜分神倦朗吟詩，
詩中妙境耐尋味！
一讀再讀至三讀，
更覺靈魂飄欲飛！
誰憶讀到哀哀詞，
心弦撥動慘悽悽！
歎聲孤兒與慈母，
何爲中路忽相失？

骨肉相離何等苦！
蒼天禍人何其極！
我離家鄉數千里，
不見雙親數百日。
今夜吟此傷心句
怎令遊子不傷悲！
詩意感人能如此
何物妖姬齊徐積

贈靜涵

我所思兮在靜涵，
欲往晤之行路艱！

——一一，三，二八。上海——

翹首南望心惻怛！
靜涵念我無時釋，
何以慰之心晏晏？
慰伊不能；嘗自慰，
何爲懷憂淚斑斑？

——二一，四，十四。南京江濱——

牀上偶成

思悠悠的靜魂，
臥着牀上，
不住的深思！
眉皺皺地，
眼瞇瞇地，

慇慇地！
狗的誰呢？
愛的誰呢？
唉！有情人自知！

——一一，四，十四南京江濱——

煩悶歌

煩悶呵！
煩悶啊
你到底是甚麼？
哦哦！
你是罪惡滔天的惡魔喲！
你是快樂之邦的蟊賊喲！

我對你何寃？
我對你何惡？
我拿着碗喫飯，
你就高據我的喉，
我拿着書來讀，
你就擾亂我的腦；
我出外散步，
你就跟着脚跟兒跑；
我往牀上去睡，
你就鬼鬼祟祟的吵鬧！
可恨的煩悶呵！
我身早已瘦；

容兒已稿！
靈魂兒再受不住你的纏繞！
你的良心呢？
煩悶呵！
你的同情呢？
煩悶呵！
哦哦！
你不！
你一切都不！
你僅僅是罪惡滔天的惡魔喲！
你僅僅是不可勝誅的蟊賊喲！
你更是人類彈有力的公敵喲！

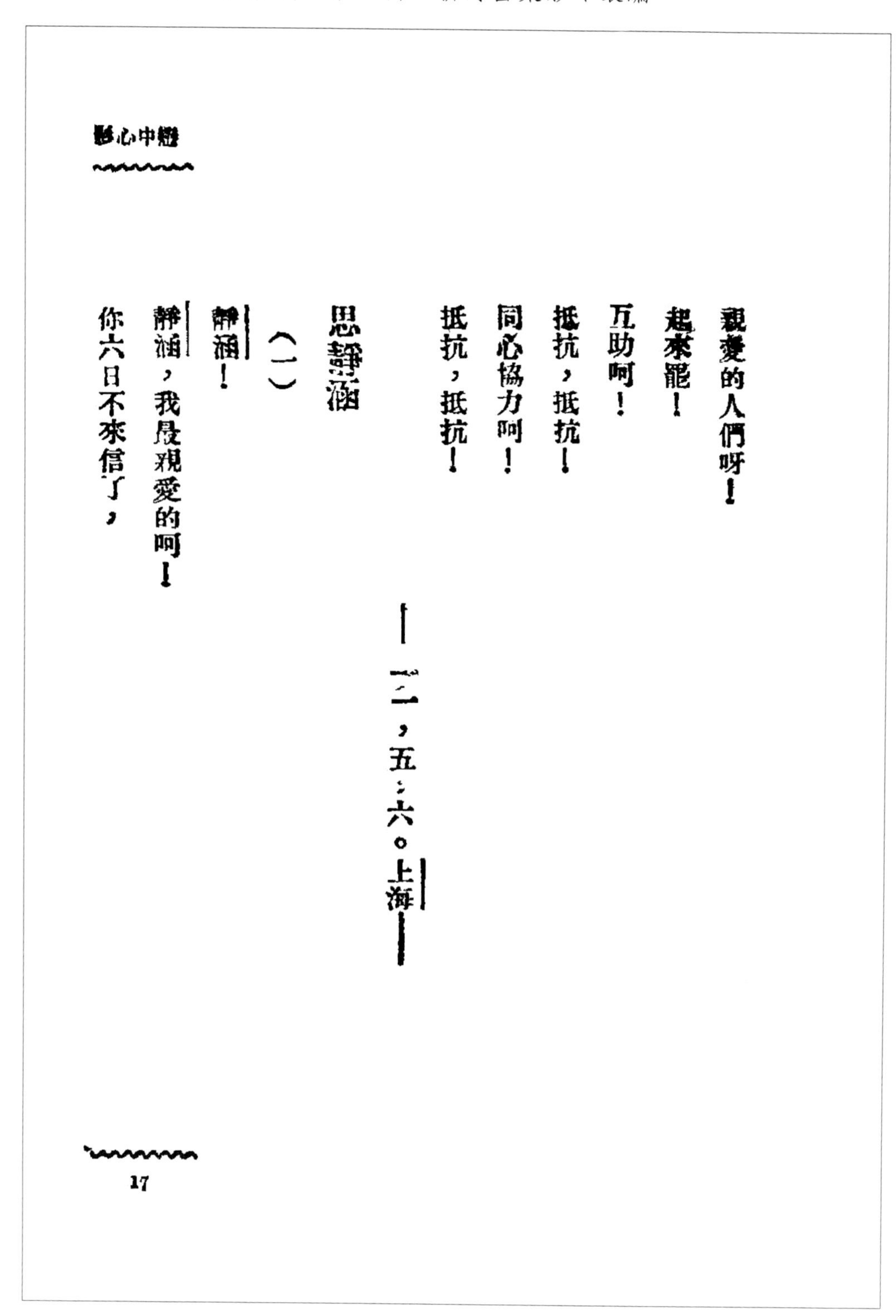

親愛的人們呀！
起來罷！
互助呵！
抵抗，抵抗！
同心協力呵！
抵抗，抵抗！

—一二，五，六。上海—

思靜涵

（一）

靜涵！
靜涵，我最親愛的呵！
你六日不來信了，

我[illegible]等候了十八秋喲！
你在家中快樂嗎？
我不知道！
你在家中憂愁嗎？
我不知道！
你現在的一切，
我一切不知道。
心中委實難過！
心中委實難過！

（二）

我願做兒園的小鳥，（註）
嘰嘰喳喳的叫給你聽，

使你歡歡喜喜！
我願意做觀音塘的金尾魚，（註）
東波西浪的炫耀我黃燗燗的尾，
使你笑嬉嬉！
我願意化做一帶美麗淸秀的山水，
擺在你的眼簾前，
使你心曠神怡！
我願意——什麼都願意；
只要你歡喜！

（二）

我記得你最愛笑，
你笑得面頰紅暈暈地。

你有一種神秘的暗示力
令我永遠不會忘記！

（四）

我記得你最愛打乒乓球。
有一個朋友對我說：
「米司徐眞像小孩子
她和同學打乒乓球，
從不許人接拍子。
我有次向前去接，
她嬌滴滴說：『我不退位，我不退位』」
我聽了。
也就笑嘻嘻！

我有一天在禮堂裏看報、
望見你站在球台旁，
我就留留意。
球手還沒喊「格姆，」（註）
你就向前搶拍子。
「呵喲！——
米司徐，眞是天眞爛漫的小孩子！」
我暗暗的自言自語——眼睛凝視你。
現在呢。
你在不知朝東朝西的村子裏，
我在坐北朝南的東高師校塾。
兩地遙隔山河數千里！

你和誰論爭？
和誰打「特布魯時官司？」
我又到那裏去凝視小孩子？

（五）

我記得去年十月那一天，
雅里學校開運動會。
我和賀劉正向雅里去，（註）
你恰巧牽着書籍自外來；
你拿着一柄綠晃晃的紙傘，
前前後後的鐘擺似地搖搖擺擺。
向我們笑了一笑——豔紅似血。
劉君問你願同去參觀否？

你說：

「我還有課，

恕我未陪！」

我那時委實羡慕你，

我那時委實心兒醉！

我那時委實情關兒開

奈那時有口不能言，

有筆不能寫！

只關住小小個圈中，

度她恨生涯！

現在會說你錯寫；

只爲着不見你的臉兒，

聽不着你的聲兒，
腸中車輪轉！
倒不如去年十月，
「癡鬼」關住在胸懷！

(註)兌園——靜涵住宅，名爲兌園。
觀音塘——兌園所在地之塘。
格姆 Game
特布魯特立司 Table-tennis
賀列 賀君紹伊，劉君炎。
——一一，五 七。上海——

懷莘耕

便泂邊，

花園裏，
鐵路邊，
操坪裏，
兩人攜着手，
形影不相離。
猶記得去年北上時，
他對我說了許多勉勵話，
講了許多別離辭。
贈我幾首詩，
滿篇傷心字！
分袂車站上，
神情更依依！

友誼一何深？
交情一何密？
不意情過熾，
蒼天生妬嫉！
使他誤會我，
棄我如遺跡！
夜闌人靜深長思，
我心奇痛苦針刺！
心奇痛！
若針刺！
夢裏也要對他道個相思苦，
夢裏也要向他洒掬傷心淚！

讀蔡文姬胡笳十八拍

——一一，五，一二。上海——

蔡文姬！
你是一個慈母，
你是一個女才子！
胡笳十八拍，
音節何鏗鏘！
句語何悽悽！
孩兒在胡身返漢，
骨肉生離豈易易！
你心悲，
你情急，

自然流露這首絕妙詩。
我羨你多才，
我傷你離子，
我尤敬你寫出胡笳十八拍，
這個音節鏗鏘感情熱烈的哀傷詩！

——一一，五，十三。上海——

戀中心影

郁神養病家鄉，不無采葛之感，來函罄述思念之苦。余愛伊甚篤，蓋亦甚焉。是詩歷寫余之思潮；以其在戀愛中，故題爲戀中心影云爾。

（一）

亮晶晶的月兒，
照得地上成一片銀灰色呀！
我那孤另另的影子，
怎地這般肥胖呀！
她若看見了，
不會說：
「我愛的體質並不弱」嗎？

(二)

燦爛爛的繁星兒，
你怎麼羞答答的？
假若被她看見了，
她會冷笑你太無勇氣哩！

(三)

冷颼颼的風兒，
吹得我渾身涼快！
風姨，
你拂拂她罷！

(四)

潺潺地流着不住的小川裏，

明澈澈的水

呵喲！

她若來浣浣手，

不會熒白可愛麼！

（五）

那嬝娜的柳樹兒，

穿了這麼多的輕絲裙兒！

臨風搖曳——碧綠綠的！

她的裙子，可是青的！

（六）

紫溶[illegible]的朝陽，

從東邊[illegible]肚色的天角裏跑出來了！

晨雞喔喔喔的啼了
我猜她還在被窩裏睡呢！

（七）

路旁的野花，
胭脂般的紅！
可惜你們過些時就要萎黃啊！
只有她那紅暈暈的兩頰，
一年四季不變啊！

（八）

怪可愛的小孩兒，
一雙白嫩的纖纖小手兒，
舞得風也似的輕快！

哦哦！
怕還不如她的吧！

（九）

黑黯黯的雲，
變換得好容易啊！
看啊，
那不是一個山？
看啊，
那不是一條河？
看啊，
那不是一個人？
哦哦！

那人吐涎沫了！
不！
雨來了！
點滴滴落在我頭上！
快跑呀！
別使她牽腸掛肚呀！

（十）

夜深了！
慘淡淡的燭光也不濟事了！
我還看什麼書！
她不是勸我別過於用功嗎？
哎喲！快些上牀睡罷！

（十一）

這些青蛙閣閣閣閣的叫些甚麼？
「爲公乎？
爲私乎？」
哦！原來是賀我！
聽牠們喊道：
「哥哥愛她，
她愛哥哥！」

（十二）

臭蟲婆婆，
你別纏繞我！
我一天一天的消瘦了！

她不好惹啊！

（十三）

翩翩天空燕，
翱翔自成雙。
我羨慕你倆々情多愛多幸福！
可恨她遠隔數千里，
我獨郊外踽涼涼！

（十四）

這杯黃澄澄的松蘿茶，
芬芳馥郁，煞是撲鼻咧！
我獨酌呀？
她也口渴麼！

（十五）

嬌滴滴的姑娘，
嫵嫵媚媚的坐在黃包車上。
一雙電閃閃眼睛，
射出一線驚人之光！
我曾記來她有一次——何止一！——
和這位姑娘的一樣！

（十六）

老態龍鍾的老婆婆！
你的鬢髮，
怎麼雪也似的白？
你面上的條紋，

怎麼浪也似的多?
你眞美啊,
老婆婆!
然而她的發黑油油,
她的面平淨淨。
將她和你比,
究誰勝?
我猜你一定說:
「我髮蒼蒼白,
我面曲線多,
仔細定睛看,
她美不如我!」

（十七）

淸脆的歌聲，
和諧的琴聲，
嬉嬉的婦女憨笑聲，
都從那巍峨的紅房裏送出來，
我的心弦震動，
我的樂關兒開。
忽然心頭一想：
「哦：數千里外的她，
鄉村中的論涵姐，
聽不着什麼琴聲。
可是——可是怎樣呢？

可是山林中的鳥聲喈喈，
到也可以娛心懷！」

（十八）

我讀西洲曲，
淚爲生別滋！
歌聲悽幽幽，
哀波震斗室！
我親愛的啊！
你知也不知？

（十九）

綠衣使者呀！
多虧你送着她的書信來！

我眞感謝你！
我們倆若在一塊兒，
雙雙對你行個恭恭敬敬鞠躬禮！

（二十）

他們口裏格格作響，
有一位喊道。
「憲章，沒有菜了！」
「哈哈！她這字裏行間的香甜美味，
咀嚼，咀嚼，勝過魚肉多少！」

（二十一）

天天看着這些美術家，
不是畫人物；

就是塗紙花。
活活潑潑生也似的；
紅紅綠綠豔甚眞花！
若假他們這樣的藝術手腕描寫她，
好好的掛在壁子上。
我一刻定睛望三望，
一時對語三次牽腸掛肚話！

（二十二）

那柄綠晃晃的紙傘，
我好久沒用牠了哩！
我記得她，也有一柄和我一樣的。
去年那日，她不是拿着牠舞動嗎？

去年的牠，好像掛在我牀頭上的；
去年的她，又爲甚麽找不着相似的？

（二十三）

算了！
換一枝新的吧！
我記得前溪歌裏說：
「莫作流水心，
引新都舍故！」
我今捨掉牠，
不是「引新舍故」嗎？
唉！好容易流動的流水似的心呀！
牠倒不駡我；

可是怎麽對得住他？
唉！癡人兒、
別癡能！

(二十四)

嗡嗡嗡的蚊子，
你眞是不要臉的東西！
拍了你去你又來，
叱了你去你又回。
我若掛起帳子來，
你又會罵我：「閉門拒客！」
唉！蚊子哥哥！
我不是不歡迎你；

只因她要我保養身體、
我的血漿不能和你互助哩！

（二十五）

我用熱血灌溉戀愛之根，
我用淚珠滋養戀愛之花！
安琪兒呀！
你好好的保護牠罷！

（二十六）

她是我最愛的；
我最愛的是她。
我有了她，
什麼都不顧，

什麽都不怕。
我努力讀書爲她，
我努力修德爲她。
我什麽事都爲她。
因爲她是我的愛人；
我的愛人是她。

——一一，五，十五。上海——

抒痛

我自接靜涵的絕交書以來，異常傷心！每日每哭泣一次。這詩是泣後的淚華。

（一）

作個斗室心緒亂，

一呼一吸一長歎！
凝視壁上娉婷影，（註一）
搖首皺眉淚斑斕！

（二）

昔日繾綣似梨霞，
喃喃相誓成室家。
而今絕交若秦越，
心若針刺誰能耐：

（三）

昔日情書膠漆濃，
血書「專」字倘腥紅！
「非君不婚」言猶在！

嗟嗟今日竟西東！

（四）

淚珠滴滴為誰下？
搥胸痛哭為誰悲？
回憶昔日斷腸史，
哎喲我心絲絲碎！

註一 ——靜涵的小照

——一一，六，一〇。上海——

聞父病

我父抱病一家愁，
呻吟病榻念次兒！
——何君馳書召返里，

遊子號泣益懮憂—

——一一，六，一〇。上海——

斷書腸

（一）

鴻雁飛來我心歡，
折閱數行我胆寒—
片書鄭都來辭別，
我心欲碎我腸斷—

（二）

她說愛我甚專一，
絕交書到她心焦，
人生失戀甚苦惱，

惟有從此脫人世！

（三）

她說我乃太忍心！

她恨當初目不明

今日雖悔已太遲，

痛苦難熬惟身殉！

（四）

「三月爲你曾自殺，

蒙你跋涉回長沙。

方謂恩愛兩不疑，

詎料棄我若黃花！」

（五）

『「我愛你摯我情深，
——黃俊决非薄情人！
朝秦暮楚誓不爲，
皇天后土鑒此心！」
前言在耳君豈忘？
一紙絕交君眞忍！
細想前以親密密，
搥胸頓足實傷心！』

（十八）

「自接君信已三日，
渴不思飲飢不食。
仔細思量，祇有死，

從此與君長別離！
願君努力向上進，
甚勿念我薄命子！」

（七）

閱完此信哭嗚嗚，
心痛難過搗牀鋪。
鄰近同學趨來望，
問我遭甚大變故！
「嗟哮惡耗不堪告！」
同學哀歎歸各處！
我愛姍若奪生命，
何曾似戀總變書！

可憐天涯與地角，
遠隔不能即時晤！。
倘她果然歸黃泉，
惟有殉情避痛苦！
「自古多情空餘恨，」
古人此語信不誣！
「少小多情便非福！」
望我青年勿自苦！

——一一，六，十三。上海——

鳴不平

同學邵君與余述彼親賤之情場恨史。余痛彼女之薄情，特寫此以抒
余不平之氣。

戀中心影

（一）

邵君文學實堪欽，
詩歌激昂眞動人！
最是小說傳情處，
令我百讀不知倦！

（二）

士女圍坐讀詩歌，
詩歌乃是邵君作。
燈下彼女凝視他，
羨他文學天才高！

（三）

獨坐書房正習字，

推門進來一娘姨。（註）
娘姨叫聲：「邵先生，
某君有事來請你！」

（四）

他想：「某君本吾師，
素來並無若何事。
今天倩人來請我，
究竟爲的是何事？」

（五）

「心兒忐忑臉兒紅，
趦趄行到她房中。
滿室異香人不在，

搔首踟躕實羞儂！」

（六）

「正欲下樓心兒慌，
忽見她在彼女房。
笑容可掬呼請坐，
足竟先登：心徬徨！」

（七）

彼女遞茶他心喜！
三人無言互相視。
最後某君開言道：
「邵君文學實可佩！
——夢蓮知識甚淺弱，

願君諄諄多指示！
從此介紹作朋友，
兄妹相稱勿客氣！」

（八）

「悶想國事正欷歔！
某君給我彼人書。
拆閱洋洋數千言，
盡是眞情流露語。
回她一封誠懇信，
贈她幾本文學書。
自此情魔纏繞我，
怎樣愛她說不出，

(九)

「一日心兒甚煩悶，
和某對語傾積悃。
彼女匆匆走來也，
將我贈物擲我身，
兩目眈眈對我道：
『請將前信化灰燼！』
突如其來因何故？
越想越惱悶殺人！
夜闌人靜深長思。
痛苦萬端欲自盡！」

(十)

彼女易變眞薄情，
殺人不假刀和刃！
我憐卻君遭薄倖，
我恨彼女暗害人！
傷哉！一般浪蕩女，
殺人不假刀和刃！

註一 上海稱女僕曰娘姨

——一一，六，二一。上海——

別小朋友

余自滬乘輪返湘；同船有一貴婦人攜一女婢，年約七八歲，名阿靈，性聰穎，余極愛之。呼之爲小朋友，伊亦呼余爲大朋友。抵九江時，貴婦偕伊上岸去。余覺悒悒不樂，乃寫是詩。

阿靈！
我的小朋友！
你竟一笑去了！
你的大朋友——你口裏叫個不住的大朋友，
如今這般心亂！
叫我怎樣消遣！
我眼見你受那太太的虐待，
可憐你做太太的丫頭！

你生得這樣伶俐，這般樣秀！
叫我如何不疼愛你！
小朋友！
你和我親親熱熱的做了兩天好朋友，
我得了許多安慰，
算是快樂極了！
而今你去了！
你去時，向我微微一笑。
這麼臨別的一笑，
我心兒更難受！
你還說了三個字——明天會——
唉！真的麼？

小朋友！

唉！我悔不該和你太親密了！

——一一，六，二八。九江江間——

暫別來信

——靜涵吾愛汝何憂？

暫別來信何愀愀。

越讀越覺心難過！

叫我如何不苦愁！

——一一，七，七。長沙——

與靜涵暫別

吾愛妻！

吾愛妻！

我與你暫別，
我心真依依！
將來長相離，
叫我如何度日？
唉！最後的辦法：
我倆不要太親密，
疏些些！
可是又怎樣能疏遠呢？
唉！情字害了我和你！
吾愛妻！
你今下午一去

——一一，七，七。長沙——

靜涵呀！

我至親至愛的靜涵呀！

你今下午一去，

我簡直心猿意馬，

一刻刻兒也不安呀！

現在更加心亂喲！

怎麽得了？

靜愛呀

唉！死去罷！

——一一，七，八。長沙——

為何靜愛尚不臨

同去明憲同路行，（註一）

一赴楚南一華英。（註二）
「速了瑣事轉來也，
楚南小室將言盡。」
看看三點至五點，
爲何靜愛尙不臨？
莫非靜愛有變故？
莫非靜愛事羈身？
莫非靜愛行路慢？
莫非靜愛又自盡？
嗟嗟咄咄心兒亂，
奔出楚南找吾靜！
吾靜匆匆中途遇，

滿心歡喜樂無任！

註一 ——明憲女中校

註二 楚南華英，均旅館名。

——二一，七，九。長沙——

船老闆喊聲開船了

船老闆喊聲開船了，（註）

我的小鹿兒東奔西跑的鬧個不休！

我媽媽眼圈紅了！

徽聲對我說道：

「你要發憤讀書啊！

我的兒！

最要緊的，

在省不要久留。
勿爲孀妻將前程誤了！」
我聽着這些話，
眼淚流滿了眼角，
不敢用手巾拭；
恐我媽媽知道。
只得斷斷續續地答道：
「媽媽！
你老放心！
兒自知道。
望你老善爲保養，
勿念遊！兒」

註　我預先與船老闆相約：開船時，請他到
我家中喊我。

——一一，七，二五，新市河濱——

這是奶奶的心思

我正在鎖箱子，
老祖母踹踹蹦蹦地走來了。
淚珠滴滴的流到面上，
手上拿着一個包着銅元的紅紙包，
嗚嗚咽咽的對我說道：
「我拿錢把你用。
我現在沒有錢；
這是奶奶的心思。（註）

你到外面發憤讀書啊！」
我泣不成聲，
喉嚨也硬了。
等了好一些時，
纔吐出兩個字：
「好！好！」

註　吾鄉叫祖母爲奶奶，

——一一，七，二五。新市河濱——

沒有人僱我

一個十五六歲的妙齡姑娘，
穿着整齊潔淨的衣服，
嫣然向我一笑，

眼睛電閃閃的射着我。
一只細膩而帶黃色的手，
幾乎貼近我身了。
口裏發出尖銳而且婉轉的聲音
「先生！
討一個銅板！
祝先生多福多壽！」
我不期然而然的笑着問她：
「你討錢呀！
你爲甚麼不幫人家做事？」
「唉：先生！」
沒有人僱我。」

我看她可憐模樣，
就給她兩個銅板。
她就媳娜的去了。
我半晌方定神，
實是驚疑不休！

——一一，七，二七。衡州江濱——

十天的哥哥

我的枯林弟弟呀！（註一）
你還是兩歲的小孩提，
你便什麽話都會說，
你眞聰敏而且伶俐。
我初和你會面時，

你和我面面相覷。
何曾知道和你是兄弟！
媽媽要你叫哥哥？
你便也叫哥哥。
我猜你那時一定如此想：
「我怎又有一個這樣的哥哥？」
自此以後，
你一天一天的和我親密了。
你有時笑着駡我：
「瞎眼！告告！」（註二）
你有時做着種種的樣兒，
討我的好

我的祐林弟弟呀！
我前天自家動身，
你恰在牀上小臥；
我想再和你親個嘴，
又怕你捨不得哥哥。
而今我喊不應你；
你也罵不着「告告。」
唉！我的祐林弟弟呀！
我和你再會時，
你還認不認得我——十天的哥哥？（註二）

一　我的第四個弟弟

註二　我市小孩叫乞丐爲「告告」

註三　我此次回家，只往十天；祐弟叫我爲哥哥，也只十天；故曰十天的哥哥。

——一一，七，二七。衡山之南——

誰擾我

擾害人們安甯的思想喲！
一切罪惡之根的思想喲！
我頭痛呵！
誰之過？
我一夜未成眠呵！
誰擾我？
惡作劇而且太無情的思想喲！
快跑！快跑！

葛天氏之民呀！
無懷氏之民呀！
你們容我追蹤麼？
唉！我頭痛呵！
可恨的安富之敵的思想喲！

——一一，七，二八。冠亭江間——

輪船來了

輪船機器壞了，
停在江心整。
解下拖船緩緩流下去，
又遇猛惡的北風，
驚濤駭浪，

阻着不能行。

昨晨解纜了，

今天下午長沙還未臨。

同舟的嚷着：

「明天到否不一定！」

聽此言，

心不寧；

心不寧，

念吾靜；

念吾靜，

益煩悶！

忽地裏一聲？

「嗚嗚嗚嗚」
「輪船來了！」
轉頭一望，
可喜兒正在上流行。
呵唉！我心花怒放了！
謝天謝地謝鬼神！

——一一，七，二八。漢口江關——

夜間的冷風

夢兒醒了，
秋水兒惺忪。
甚風吹來也？
砭入肌骨中！

冷喲冷喲！
「呼呼呼呼！」
冷喲冷喲！
「呼呼呼呼！」

——一一，七，二九。珠州江聞——

數字竟被君猜破
晨間眼疲往南柯，
醒來已是馬家河。
拿筆信書「吾靜愛，」
劉君笶我思想過！（註）
紅漲面龐心忐忑，
強顏微笑向劉道：

「我的心病不堪告，
數字竟被君猜破！
世上多少有情人，
劉君也要算一個！」

註　劉君新民，是衡山的小學教師，和我同船，坐在一塊。相談頗洽。

——一一，七，二九。馬家河——

望長沙

長沙在望心花放，
屋宇櫛比煙瀰漫。
岳麓雄峙笑顏開
「慶君今日晤韵涵！」

問靜愛

我倆情深不能離，
情人相離實堪悲！
況且前後多阻碍，
四方八面均嶇崎！
誠恐一時遭危險，
雙方犧牲甚不值！
倘想大事告成功，
告到上海百不宜！
想來想去只如此，
不知吾愛亦願意？

——一，七，二九。靳江河——

觀風雨之後

雨絲絲，
風習習，
烏雲遍天合復裂。
憶往事，
心腸結！
萬苦千愁何時滅？
前愁纏不去，
後愁接踵來。
愁來愁去實難當，
不若萬事皆消滅！

—一一，七，三一。長沙—

吁一聲：「咄咄！」
歎一聲：「嗟嗟！」
頭昏了，
睡去罷！
何等天然的快樂！
怎樣安甯的休息！
唉！與其醒來愁又至；
倒不如長睡不醒來！

——一一，八，十五。漢口——

我是詩國的叛徒

（一）

我本是詩國裏的人民，
却不知不覺的做了英文字典的奴隸；
使我不能盡忠於我的祖國，
而且漸漸對於牠冷淡了。
這是多麼可恨的一件事呀！

（二）

我親愛的詩國喲！
我眞是你的一個叛徒喲！
假若我不經柔和之歌聲的引誘，（註）
和我可愛的燦爛之江山重行接吻，

我眞會是你的一個永遠的叛徒喲

註　靜涵讀唐詩的聲音

——一，二，二三。上海——

海外歸鴻

靜涵接其父自巴黎來信，贊成余等之婚姻、並安慰靜涵，謂回國時担任其求學經費。余等不禁狂喜，故作是詩。

哦！海外的歸鴻！
一隻羽毛翩翩，
而且唱着和諧的怡人之歌的，
海外歸鴻啊！
你的煦煦之目的一線之光，
將黑暗之地獄照耀得如同白晝了！

地獄裏的兩個魔王國裏的不肖之徒，
看見這一線煦煦之光，
於是歡欣鼓舞了！
因爲他們想：
「降魔的寶光射出來了！
我們乘時可以逃出這黑暗之地獄，
跑到光明的世界上去。」

（二）

哦：海外的歸鴻！
一隻羽毛翩翩，
而且唱着和諧的怡人之歌的，
海外歸鴻啊！

你的尖銳之口的嗜嗜之聲，
將蕭瑟之地獄喧鬧得如同梨園了！
地獄裏的兩個罪惡之藪的叛徒，
聽着這嗜嗜之聲，
於是歡欣鼓舞了！
因爲他們想：
「降魔的樂聲響起來了！
我們乘時可以逃出這蕭瑟之地獄，
跑到快樂之邦裏去。」

——一一，一二，四。上海——

聞碎碗聲

余居大有廠側之民房前樓，樓下爲二房東夫妻所居。時聞詬誶之聲

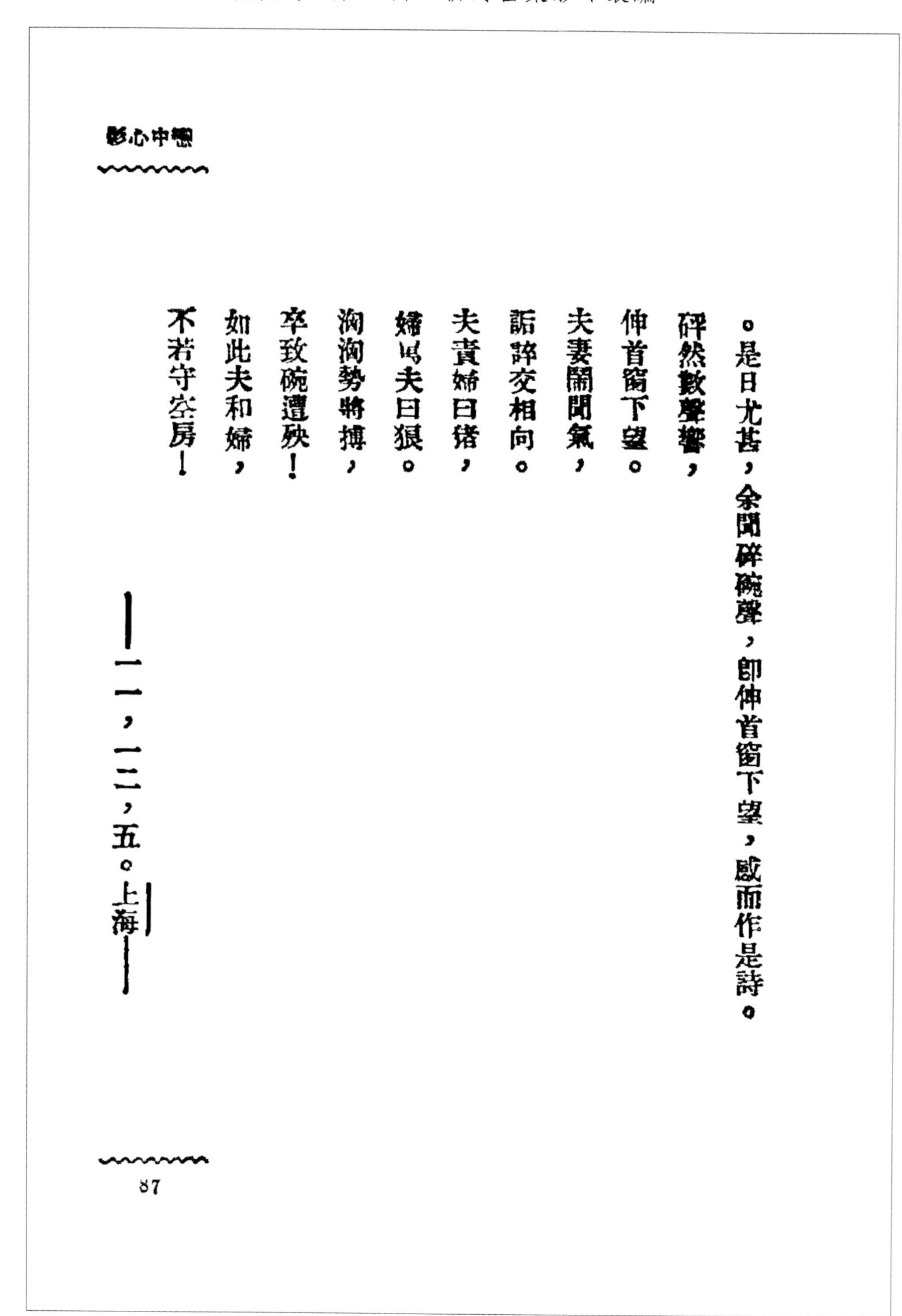

。是日尤甚，余聞碎碗聲，即伸首窗下望，感而作是詩。

砰然數聲響，
伸首窗下望。
夫妻鬧閒氣，
詬誶交相向。
夫責婦曰豬，
婦罵夫曰狠。
洶洶勢將搏，
卒致碗遭殃！
如此夫和婦，
不若守空房！

——一一，一二，五。上海——

羨煞人

手也僵，
足也僵，
涕絲黏着脣兒上，
彎着背兒向外走，
風兒割頭刀劍兒一樣！
逆面來了大腹賈，
本肥胖；
皮袍外套加上更肥胖；
「唉！兀的羨煞人啊！」

她病了

——一一，一二，五。上海——

（一）

她病了，
她在牀上痛苦地呻吟，
她有時愴愴的喊着。
哎喲，我是何等的心痛喲！

（二）

我走近她身旁，
善言安慰她：
「我親愛的！
別着急啊！
明日病必好！」
她嗚咽的小聲應着，

眼淚盈盈墮！
「你別哭呵！
我心實難過！」
「我沒哭！沒——沒哭！」
「明日病必好……」

——一一，一二，九。上海——

接董君信

闊別吾契友，
我心常愀愀！
何來冬日雁？
破我兼葭愁！
草草數百字，

情絲纏復纏！
贈我五言古，
告我近日憂。
彼憂我所憂，
彼愁我所愁！
契友愁亦契，
世上眞無儔！
寄語吾愁友：
愁來不必憂！
愁中做愁事，
精神垂千秋！
勉哉吾愁人！

勉哉吾愁友！

—一一，一二，九。上海—

行經一工廠聞婦人哭聲

宮殿般的巍巍大工廠，
金城般的堅固大圍牆，
何來婦人號哭聲？
令人一聞痛斷腸！
一聲聲：
「叫我如何，？」
一號一號
「傷心！我夫郎！」
躑躅步道自思索：

何爲此婦哭夫郎？
莫非夫郎機器戕？
莫非夫郎惡症亡？
我是這麼想，
我心益悲傷！
牙格格，
淚汪汪！
唉！親愛的姊妹呵！
我對你說幾句傷心話？
「當今國內戰爭炮火烈，
盈千累萬軍人死戰場！
[illegible]尸碎骨供野獸！

戰勝將軍高坐城中樂央央！
壓壞了工人賤骨頭，
一具棺，
把他葬！
如何值得這悲傷！」

——一一，一二，一三。上海——

離別淚

（一）

北巖！
你今別我去了！
想起上午離別語：
額兒蹙，

眉兒皺，
鼻兒酸，
淚兒流。
唉！真是痛心極了！

（二）

北巖
你可記得麼？
大通輪船上，
茶房介紹你和我。（註一）
你第你是安徽相城人，
上海未曾到。
和容與我談論，

遜言請我指導。
我鑒你老實態度，
我感你和顏遜語，
我那得不情動于中，
——北巖啊！

(三)

——北巖！
我和你相交的第四夜，
突然談到了我的悲慘事。
我傷心，
我流淚；
你聞言，

亦流淚！
再看我的悲慘記，（註二）
我傷心，
淚流如連絲！
你因此，
益傷悲，
同情之淚濟滿身上衣！
我說出經濟上的危險，
你說：
「不要急！
我節用，
來助你！」

唉！北巖啊！
那夜的情形，
你可是如今記也未？

（四）

北巖！
我和你相交以後，
可說是精神化為一。
你每天必到我房裏，
談一次話；
我每天不見你，
就覺生活感寂寞！
心中鬱結不可釋！

唉！你如今別我去了！
再會須來年！
來年又何日？
唉！北巖呵！
再會須來年？
來年又何日？

（五）

北巖！
你今日和我中膳時，
各敘離別情。
你說：
「回家本快樂，

可是朋友又難分！」
我說：
「朋友終須別！」
你一字也不答，
眼眶淚盈盈！
唉喲也巖呵！
我當時暗中去拭淚，
恐你見了更傷心！
送行時，
若無言，
實也言難盡！
臨別時，

未就安；
實也心已硬！
當此萬籟俱寂黑夜深：
思吾友，
心若刀割；
念吾友，
情難自禁！
念吾友，
情難禁！
强安心，
心不甯；
强拭淚，

淚不盡！

唉！北巖啊！

傷心！……

註一 茶房因我預備住名利棧，北巖也預備住名利棧，所以介紹我們相認，以便互相照顧。

註二 我將我和靜蓀的痛苦歷史，寫成了一本戀愛的悲慘，現歸上海新文化書社發行。

——一一，一二，二一。上海——

訴窮（一）

上月飯賬未付清，
本月又已十餘日。
店夥送飯樓上來，
口腹雖飽心暗急！
腹雖飽，
心暗急！
看見了店主，
應付他，
好容易！

（二）

房子的租期滿了，
我下樓去，

房東向我一笑。
我的臉兒一紅，
煞是難過！
唉！倒不如不下樓的好！

（三）

朔風颼颼砭肌骨，
全身戰慄，
牙兒格格響！
記起我去年穿的皮袍，
今年買的棉褲，
已擱在當店裏的衣架上！
想買木炭來烘，

又要幾角大洋。
我倒不要緊，
只是我的靜，
彎着身兒淚汪汪！
淚汪汪！
我心傷！
唉苦煞了我們倆！

（四）

一個同學向我索債，
一連幾封信，
口口聲聲：
要我快設法！

搜尋舊物去典當，
當店又不要；
拿去長衫，棉褲，毛織褲，
又只給我四元八。
還債尚差兩角錢。
兩角錢！
我心急！
恨無餘物可典質！
無餘物，
可典質，
欠他兩角爲何事！
燈光中忽然照出了一條紅圍巾，

心兒滿足喜！

（五）

——漢口何君前來信，
告我不久必匯款！
現在寫了平信又快信，
爲何總不見一字還？
天天等候着郵差，
郵差來了，
使我徒悧怛！
苦矣哉！
苦矣哉！
窮困如此何生爲？

窮困如此何生爲？

——一二，一，五。上海——

註 這詩的第四首、是當時的實在情形；我當時受了痛苦，自然就有一點忿慨之氣。今聞友人某君言：這位同學當時正需錢用，又不知道我的窮狀；所以就如此。某君並且要我把這詩删去。以感情論，我本也應該删去；但我愛惜藝術，只得仍把牠保存。望這位同學及讀者莫誤會。

一，二九。俊——。

同情淚

（一）

小兒半夜叫媽媽，
媽媽正在工廠紡棉紗；
小兒半夜要乳哭，
媽媽不在哭不已！
哭不已，
聲愴悽！
媽媽為何不蘦䛗？
媽媽為何忍兒飢？
唉！可憐的小兒啊！
別哭罷！
安心睡到明天大天光，

媽媽回來必喂你！

(二)

一敲門，

再敲門，

門聲應和讀書聲。

我要靜，

去開門；

門開即見一婦人。

婦人抱着小孩兒，

向我鞠躬再向靜。

吾靜和她隔壁去，

相談只一頃。

靜回時，
臉如血，
氣喘吁吁對我說：
「隔壁人家無米炊，
以我有錢向我借；
我因無錢不敢應，
不應我實傷心懷！」
啊喲！苦矣哉！
我們遷僅數日，
她就向我來告急。
不是極苦誰如此？
無奈我亦窮酸子，

身邊尙有兩銀圓，
暫分一圓去濟伊！
啊喲！
我心疼，
淚兒點點滴！
唉！親愛的姊妹呵！
你夜間去作工，
孩兒無乳契；
日間來喂兒，
又無米爲炊！
窮若斯！
苦若斯

目視你苦心傷悲！
我力薄，
無以安慰你，
只有暗中洒掬同情淚

——一二，一，二四。上海——

戀中心影　終

花木蘭文化出版社聲明啓事

此次《民國文學珍稀文獻集成》出版，有賴各位作者家屬大力支持，慨然允贈版權，遂使這巨大的文化工程得以開展。我社全體同仁在此向各位致以誠摯的謝意！

由於民國作者人數眾多，年代久遠且戰火頻繁，許多作者已無從知其下落。我社傾全力尋找，遍訪各地，能夠找到的後人，得其親筆授權者，爲數甚寡。更多的情況是，因作者本人下落不明，連版權情況都無從知曉。

因此，我社鄭重聲明：

此叢書所錄專著，凡有在版權期內而未授權者，作者家屬可與我社聯繫，我社願奉送相關贈書 50 冊爲報酬，補簽授權協議。

叢書第一輯，版權不明作者名單如下：

李寶樑、朱采眞、黃俊、汪劍餘、ＣＦ女士（張近芬）、王秋心、王環心、謝采江、曼尼、歐陽蘭、陳勣、沙刹、卜弋雲、陳志莘。

望以上作者之家屬看到此通知後與我社聯繫。

聯繫信箱：hml@vip.163.com

花木蘭文化出版社

2016 年春

菊園

汪劍餘 著

汪劍餘，生平不詳。

新文化書社（上海）一九二三年三月初版，一九二六年一月三版。
原書三十二開。

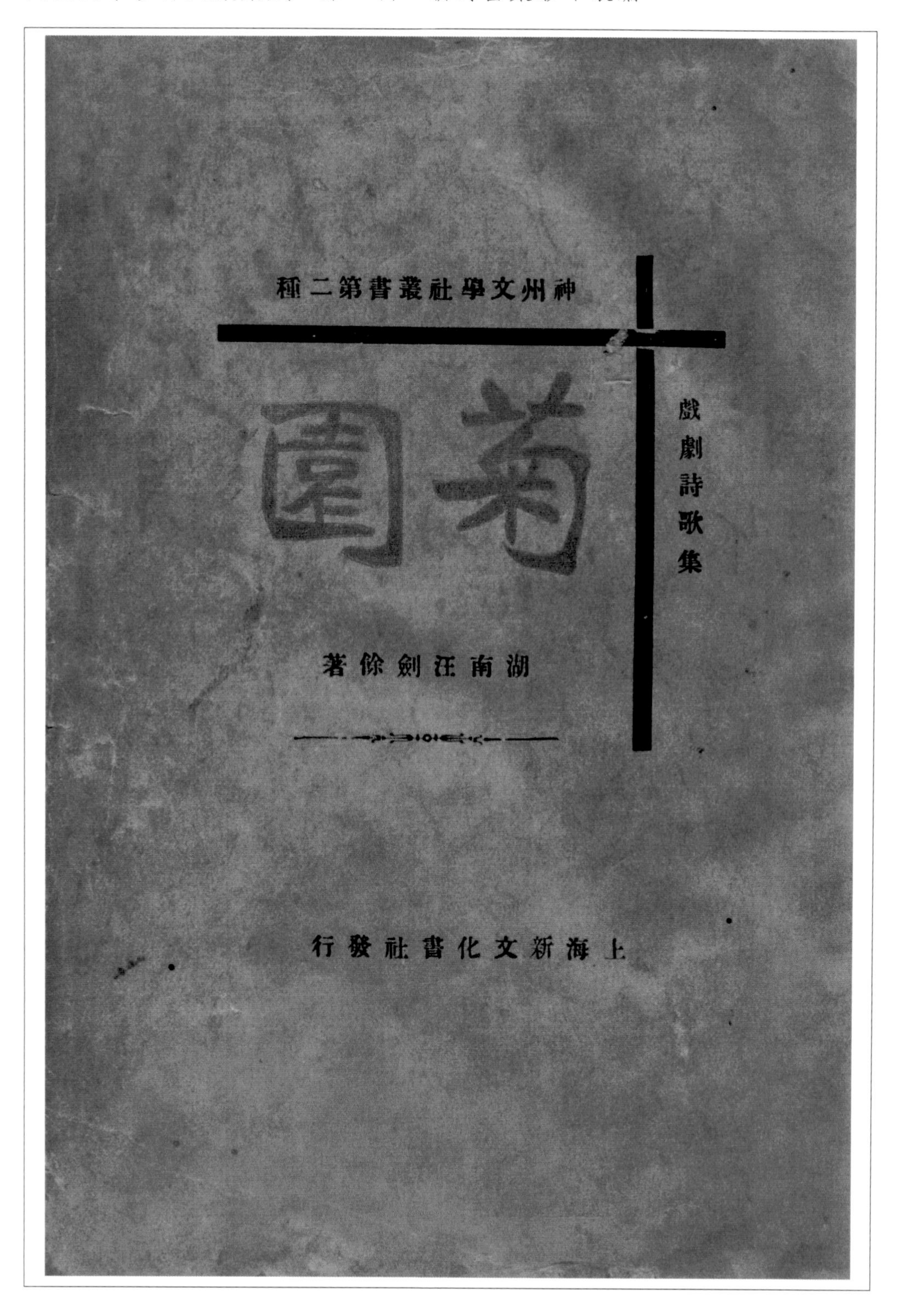

神州文學社叢書第二種

菊園

戲劇詩歌集

湖南汪劍餘著

上海新文化書社發行

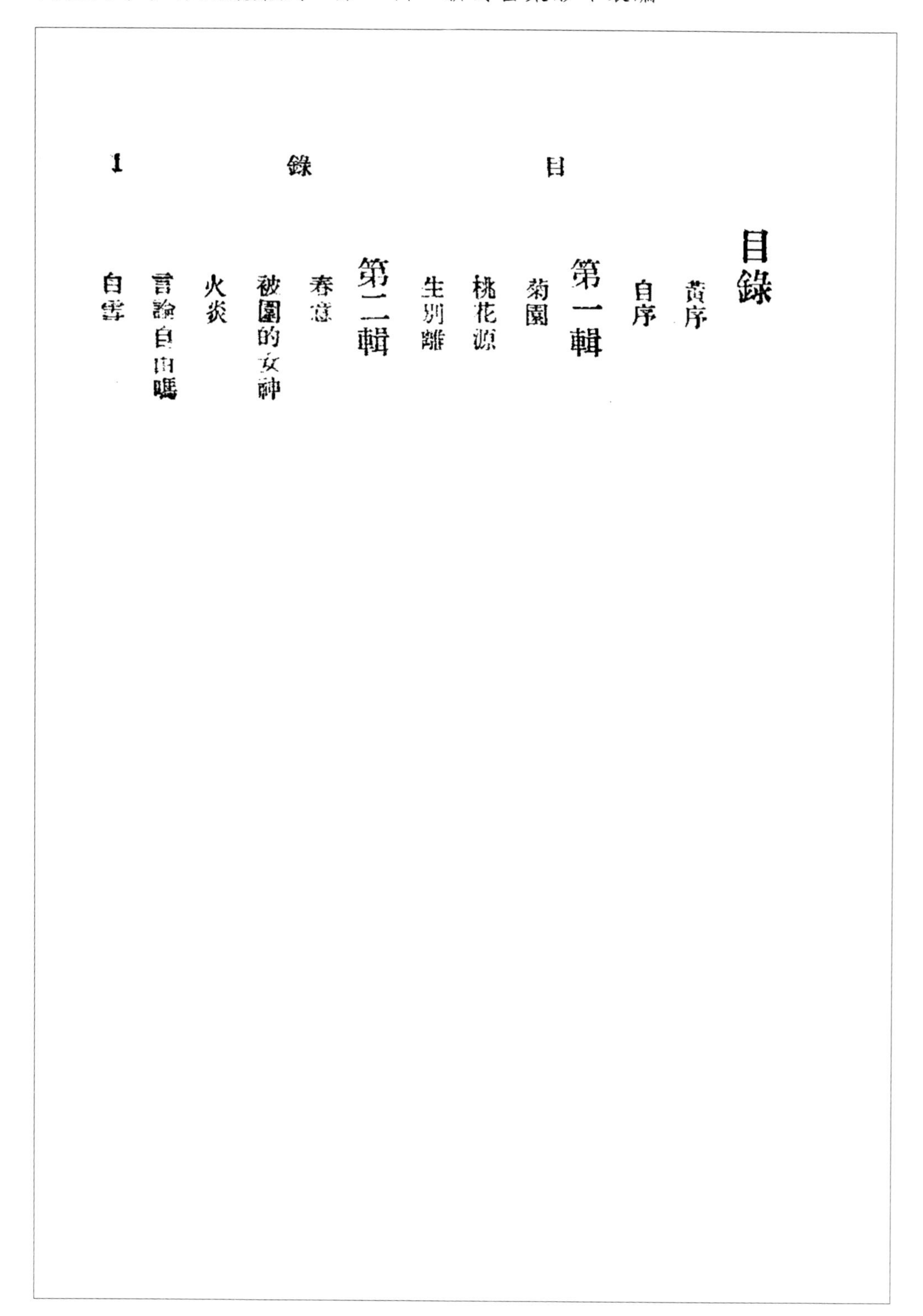

目錄

2 目錄

黃序

郎氏 William J. Long 在他的文學的意義篇 The meaning of literature 論「文體」Style 道：『文體就是人，就是作者自身人格的自然的表現。這就是1個人的靈魂，如同在鏡子裏一樣，反映人類的思想和情感。』Style is the man, that is, the unconscious expression of the Writer's Own Personality. Itis the very Soul of one man reflecting, as in glass, the thoughts and feelings of humanity

郎氏又說道：『沒有1個著作者能夠描寫人生，倘非自然的流露他自己的靈魂的本來色彩。』No authorcan interpret human life Without unconsci-onsly give to it the native hue of his own Soul.

以上幾句論文學的話，說得非常透澈！因爲文學是表現和批評人生的東西。我們要表現人生，自然會流露我們自己的經驗；我們要批評人生，自然會流露我們自己的情感和思想。我們自己的經驗情感和思想，旣經流露于自己的著作中、那麼，自己的著作就是自身人格的表現了。一個著作家能夠做到這一步，他的著作，一定是很有價值的。

我的朋友汪君劍餘把他著的菊園給我看，我越讀越覺得一個活活的汪劍餘活現紙上了，飛近我的眼簾了，鑽入我的腦袋了！當時幾乎使我的人格也劍餘化了！菊園的魔力真大呀！這就是菊園的價值，這就是真正的藝術。郎氏所說的那兩段話，我益發佩服了！

劍餘是失敗的青年，劍餘是失戀的詩人，他受了種種的刺激，他滿身都是煩悶，他內心裏充滿着抑鬱憤慨之氣。看他的菊園裏的詩：

黃鶯（唱）

恰恰我在老梅枝上跳舞，

聽着單調的歌聲。

可憐的詩人呵！

你同誰人流淚？

你向誰人悲歌？
羞呵！
失敗是你淚珠的泉源，
不幸是你悲哀的故國；
你不幸你失敗，都是你的遭逢。
誰和你表同情？
看呵！
菊花姐姐低着頭兒笑你！

讀他這首詩，何等悽愴逼人！失敗是他淚珠的泉源，不幸是他悲哀的故國，不幸，失敗，都是他的遭逢，誰也不和他表同情！菊花姐姐還要低着頭兒笑他呢！像這樣的人生，還有甚麼趣味！所以他到這時，恨人們之無情，乃動自殺之念。看以下的詩說道：

詩人（失色發狂，唱）

4　黃　序

呀！好殘忍的菊花！
你不和我談話，
你發殺人的微笑！
你棄我嗎？
你惱我嗎？
我不悲哀了，
我不流淚了，
人間都是無情，
我將和人間別離了！

唉！好殘忍的菊花呵！當這個時候，詩人——劍餘——是何等的傷心！倘若沒有旁人的安慰，他可不是已經爲自殺的情人了嗎！

雁峯（一雁唱之，衆雁和之）

癡夢的少年詩人喲！

失敗不必悲哀，
失戀不必傷心；
失敗是成功的賢母，
失戀是藝術的波文。
你可努力創造光明！
創造光明世界，
你就得了眞正的人生！
這就是少年詩人的安慰語！這就是少年詩人的救星呀！我們讀他菊園之詩劇，覺得這位少年詩人是經過失敗和失戀的青年，是發生過厭世觀念的青年！我們惟有十二分的表同情！讀他『誰和你表同情？』一句，令我非常傷心：因為人們缺乏同情，對于失敗者不但不加以安慰，而且嘲笑輕視，使失敗者只有走到自殺之途！『何處是美和愛的安慰？』失敗者呵！我們自己尋求美和愛的安慰罷！

又看他以下的詩：

黑霧把大地蓋了，
人們在黑暗裏生活；
豺虎趁着黑暗來了，
人們將被豺虎吃盡。（五一的悲歌其四）

我死過兩次了：
第一次被老虎把我底身兒喫得乾淨了，
第二次被孽鬼把我的魂兒捉去燒化了。
現在這復生的我，
又被那熊熊的火燄烤枯了。（迷夢其二）

喊！詩人！

你可不要笑，
人生是枯槁的，
沒有歡樂的時候。（詩人的心花之中節）

從這幾首詩裏，可以看得出劍餘是一個詛咒人生的詩人！唉！自然啊！像這樣的悲慘世界，那值得詩人讚美呢！

我是個逍遙的乞丐，
負着無窮的詩袋，
伸出灰白的瘦手。
『渺斯 Muse 啊！
多給我一些兒文藝罷！（迷夢其六）

這就是劍餘的人生觀，也就是劍餘引以爲安慰的幾句話。我對于這位負着詩袋的乞丐，供給人們一些精緻的精神上的食物，——菊園——表示敬意。我尤其希望劍餘努力創造許多比菊園更有價值的文藝！劍餘呵！努力！

中華民國十二年二月二十日黄僾序於南方大學。

自序

我的菊園將問世了。在這册子中的戲劇詩歌，都是我近年來的作品；還有我在北京南京江西時候所寫的詩，大都是絕律詩，或我自己不愛的詩，我就把牠删掉了。

文學是爲人生嗎。Is literature for the sake of life? 文學是爲藝術嗎？ Is literature for the sake of art? 我所宗的是戴克 Henry Uan Dyke 說的文學定義，他說：「文學所含的作品，是迻譯自然和生活的意義，由作者個性的感觸，其言辭乃具有魔力及能力，其藝術的形式乃永久地動情。」Literature consists of those writings which interpret the meanings of nature and life, in words of charm and power, touched with the Personality of the author, in artistic forms of permanent interest. 我的腦中總忘不却此定義，我的作品是不是合於此定義，我還不自知道。可是我這煩悶的環境，竟把我的人生觀變爲煩悶了，作品也許帶了些兒煩悶。至於我的某種主張，請我的

閱者在生別離及五一的悲哀中去尋能！

還要說幾句。（一）此册中的作品，有好多已在報紙或雜誌上發表過的，這次經我整理了一番，我自己以為沒有大毛病了。（二）感謝憲章君校閱菊園，並且為菊園作序。

十二年，二月，十二日。國霖汪劍餘序於南方大學。

第一輯

菊園 詩劇

布景：嫋嫋秋風的菊園，

密布了菊花芬氣。

如癡如夢的詩人，

獨自和菊花言語。

最鍾情的菊芬，

隱逸在詩人心裏。

黃鶯在枝頭跳舞，

慢把詩人嘲笑；

雁羣在天空翱翔，

喚醒詩人癡夢。

開幕。詩人旅裝負笈，狼狽不堪，自右入場，呆呆地立在菊花叢中，眼丁着菊花，目不轉瞬。

2 菊園

詩人（唱）

菊花妹妹！
我從煩惱鄉逃來，
歡喜和你相會，
愛你翹翹的身軀，
羨你蓊蓊的生命。
回憶昔者別時，
承你殷勤囑言！
唱着柔軟的歌辭，
祝我前程勝利。
我那失了魄的魂，
飄浮在天空白雲中；
我那失了魂的魄，

洶湧在你的腦海裏。
呵，可愛的小孩子，
他拿着尖銳的箭，
射破了我倆的愛心。
最可憎的江上舟兒，
他要載我遠行；
最無情的江上月姐，
她不說：「詩人莫別！」

到如今我失敗歸來，
辜負了你祝我的殷勤
時而使我慚愧，
時而使我傷心。

火夫人把我的孔兄燒死了，
日哥兒把我的麵包吃盡了，
我負着無底的詩囊，
徘徊在茫茫的岐路，
呵喲，人間都寂寞！
何處是美和愛的安慰？
菊花妹妹，
請你給我安慰！
菊花　（被秋風吹着顫動）……
詩人　（手舞足蹈，唱）
菊花妹妹！
你是我的良友，
我願永遠愛你。

我來將你讚美：
你疎淡的髮，
金兒黃，火兒赤，雪兒白；
你假髮的嫁服，
迎風飄飛流芳；
你姣嫩的玉顏，
帶着幽嫻的濃意；
你眇眇的目，
引去了我的靈魂；
你清高的性情，
處士方可與京；
你奮鬥的精神，
戰勝了暴厲的秋風。

我是不幸的人生！
懷着滿腔悲哀，
流着滿眼熱淚，
覩着白皚枯骨，
聽着悽愴鬼哭。
啊喲，人間都是悲慘！
何處是美和愛的安慰？
菊花妹妹，
請你給我安慰！

菊花　（同前）

詩人　（流淚，唱）

菊花妹妹！

菊　　園　　了

我的淚珠兒流出了，
我的靈魂兒戰慄了。
我把我的熱淚，
潅溉你的嬌枝！
我把我的靈魂，
印入你的心中。
我便是你了，
你便是我了，
我們同遊世外樂園罷！

可是，我們的你，
遠舉雲中；
我們的我，

8　菊　園

苦海深沉：
我前面站着虎狼，
後面栽了荊棘。
啊喲，人間都是痛苦！
何處是美和愛的安慰？
菊花妹妹，
請你給我安慰！
此時黃鶯在落了葉的梅幹上作冷笑狀。
黃鶯（唱）
恰，恰，我在老梅枝上跳舞，
聽着單調的歌聲。
可憐的詩人呵！
你何雖人流淚？

你向誰人悲歌？
羞呵！
失敗是你淚珠的泉源，
不幸是你悲哀的故國；
你不幸，你失敗，都是你的遭逢，
誰和你表同情？
看呵！
菊花姐姐低着頭兒笑你！

詩人　（失色發狂：唱）
呀，好殘忍的菊花！
你不和我談話，
你發殺人的微笑！
你棄我嗎？

10 菊園

你憎我嗎？
我不悲哀了，
我不流淚了，
人間都是無情，
我將和人間別離了！
哈，哈，我回憶我失敗的時候，
遇着了嬝娜的死神，
她招着冷冰的鐵手，
放着清脆的歌聲：
『不幸的人們，
快同我去罷！
我引你到菩提樹下，
給你無花菓漿，

飽你知識飢荒的愁腸！—

到如今我悔我不與她同行。

再會，再會，我今到死神那兒去了！

時有雁羣自北而南，飛舞天空，成一字形。

雁羣（合唱）

雖，雖，秋風姐姐邀我們南歸，

我們飛舞無邊的空中，

何等地自由，光明！

可笑地上那些鬥雞，

他們爭着一勺黃米，

時常與動戈兵，

終日戰鬥不停，

遍地皆是雞尸！

12

菊　園

雁之一 （唱）

朋友，我們今日的唱歌，
帶有殺伐的金音。
我們別唱這種歌兒了，
免得打破我們的靈機。

雁之二 （唱）

朋友，你們低頭看那菊園的詩人，
他何等地傷心！
看他那悲哀的苦笑，
聽他那悽惋的歌聲，
他是失敗的青年，
他是失戀的詩人，
我們大家來唱個歌兒，

喚醒他的癡夢！

雁羣（一雁唱之，衆雁和之。）

癡夢的少年詩人喲！
失敗不必悲哀，
失戀不必傷心；
失敗是成功的寶母，
失戀是藝術的波文。
你可努力創造光明！
創造光明世界，
你就得了眞正的人生！

（閉幕）

桃花源

登場人

陶　潛

桃花神

黔　婁

黔婁妻

榮啟明

東園公

綺里季

夏黃公

甪里先生

村農多人

村婦多人

小孩多人

牧童一人

水手三人

衙吏二人

劉驎之

第一幕 逢林

佈景 桃花溪，暮春三月。

溪左右皆高山。溪下游多柳樹，碧綠如烟，桃花片隨流而下。淺灘處有野鷗白鶴游泳自得。山中孤松高聳，拙鳩嗥於上下。溪上游兩岸爲桃花林，芳草雜生林中，英落繽紛，水波映成錦繡。

開幕後，陶潛駕一小舫，白髮長髯，頭戴笠，袒半臂，右手打槳，左手操庖。從溪下游左岸柳下出，緣溪向上行，歌聲作。

歸去來兮！請息交以絕游，

世與我而相違，復駕言兮焉求。

農事稍閒兮，來溪干而駕扁舟，

緣溪沿以行兮，垂釣絲於中流。

飲薄酒而嘯歌兮，寄閒愁于野鷗。

結白鶴以爲良友兮，訾呼號之鳴鳩。

笑楊柳兮獻媚，愛孤松兮清幽。

此時桃花之神，上着桃花衣，下拖桃花裙，遍身恍惚若桃花渾成；散髮赤足，手持桃花一枝，徐徐出自桃花林中，立於石磯西畔，將手中桃花一朵朵摘投波心而歌之。

桃花復桃花，燦爛似雲霞。

花結自由果，果生自由芽。

桃花兮桃花，散布滿天涯。

漁舟將近桃林，陶潛傾聽歌聲，並作企望式，忽顯笑容。

桃林兮在望，隱隱兮歌聲。

歌聲兮幽雅，桃花兮紫瓊。

我心樂兮無極，緩操舟兮前行。

漁舟抵桃林下，陶潛見桃花神作驚奇狀。在舟揖桃花神，桃花神回揖

陶潛　姐姐，你請告我這兒是什麼地方？爲何有這麼美的花，這麼香的草，這麼燦爛的水波，這麼崎嶇的高山？老拙生來六十，沒有享受過這樣的美景！

桃花神　老丈，此地名叫桃花林，桃花四時開着，獨清之鄉也。老丈是五柳先生陶元亮嗎？我聞老丈乃處士之流，不爲五斗米折腰，不與那腥氣逼人的官僚往來，採山釣水，自食其力。你那耿介拔俗之標，蕭灑出塵之想　巢父，許由，務光……等不能專美於前了！老丈清潔如秋水，故有至此之緣，若貪官污吏，搜刮民脂民膏者，不能來此也。

陶潛　不錯，老拙正是陶元亮也。敢問姐姐是誰？

桃花神　我乃桃花之神，管領世界的桃花恐的。每逢春令，常拿着桃花散布在這三千大千世界中，使一般世人得着我的美化，以便引到天國路去。

陶潛　（作喜悅狀）呵，自由天國可在那兒，你可示我前津嗎？

桃花神　（指點）那兒不是到自由天國的路嗎？老丈可緣這桃花林前行，到了那林盡的地方，便是桃源。前面有一座高山，山有小口，口有曙光一道向外四射，再捨舟陸行，不久就可到了。

陶潛　（拱手）感謝！老拙從此告別了。

陶潛打槳前行，甚爲愉快。桃花神忽入桃林不見。陶潛仍飲酒放歌。

桃花飛兮凝香，歌聲作兮波揚。

桃花神兮綽約，爛昭昭兮紅妝。

揖桃花兮中流，泛桃花兮悠悠。

伊慕矛兮清幽，矛愛伊兮自由。

漁舟已抵山下，陶潛登岸從山口入。　（幕落）

第二幕　絕境

佈景　一大村落，四周有高山環之。村左之山有小口一，纔可通人。土地平曠，屋舍儼然。有良田，美池，花圃，桑竹雜樹花草。阡陌交通，雞犬相聞。其中往來種作男女，衣着悉如秦人。黃髮垂髫，怡然自得。有老叟二人，一爲榮叟，一即黔婁，攜幼孩數人徘徊壠坵間，有吹簫者，有唱歌者。

黔婁吹簫，榮叟唱歌。

吾常披鹿裘而帶索兮，鼓琴瑟以高歌。
孔丘問吾何所樂兮，吾應吾樂甚多。
君不見貧爲士之常，死爲人之終；
吾居常以待終兮，吾之樂樂之如何！

榮叟吹簫，黔婁唱歌。

余不受人爵兮 願安貧而守陋；

又不受人粟兮，雖餐粃糠而有餘富。

甘天下之淡味兮，避天下之貴冑。

小孩數人歌唱，二叟作笑。

阿父唱着歌，阿叔唱着歌，

阿儂兄與弟，唱個古兒歌。

「滄浪之水清兮，可以濯吾纓；

滄浪之水濁兮，可以濯吾足。」

陶潛自山之小口出，張目四顧。作且驚且喜狀。急趨壠坵間，和二叟行禮，二叟亦禮陶潛。壠坵中農夫農婦見陶潛，舉首瞿瞿有駭怪色。

桀叟 (向陶潛拱手)請問長者，家住那兒，姓甚名誰、從那兒來此？

陶潛 老拙乃尋柴桑人，姓陶名潛。只因與世混濁，辭彭澤令，每日來桃花溪釣魚以為樂。今天不覺得駕着船兒逆流而上，忽逢桃花林，再前行，遇着一山，乃由山口至此。

黔婁　聞先生言，乃知先生是個高尚的人，在世界裏求之不可多得。今天將晚，寒舍離此不遠，可到寒舍休息，休息。

三人及小孩等均向南行，榮叟黔婁合唱歌。

世亂不可已，避亂來於斯。

旣遠戰爭禍，復遠官吏欺。

已而已而，不復去兮！

牧童一人驅牛自山坡而下。陶潛作喜狀，唱歌。

遠遠靑山如翠圍，山前山後亂鶯飛。

老人長嘯夕陽下，習習東風動蕨薇。

壠頭麥子黃欲墜，陌上堤旁柳依依。

村南村北農歌罷，牧童吹犢自林歸。

我自夢中到天國，此間之樂古來稀。

日已落，陶潛等行抵一草廬，廬中燈火輝煌，陶榮等同入草廬 陶榮坐客堂，黔和小孩入內。

陶潛 承公等不棄，邀我至此，敢問公等何名姓，爲何到此絕境？

榮叟 我乃榮啟明，本舍主人乃黔婁。因天下大亂，武人政客打成一團，尋虐百姓，且常鬥私兵，爭地以戰，殺人盈野，爭城以戰，殺人盈城。民不堪命，十室十空。那豬武人政客比洪水猛獸還要惡些，我們受苦極了。只得另尋藏身之所，後來發現此地就遷徙來了。

黔婁和其妻自內入客室，參見陶榮，黔婁妻旋入內。

陶潛 久仰公等大名，今者你我千古相逢，眞是難得。

唐宣明，朱暈，崔少通，周元道，偕村農數人自外入。和陶榮等見禮畢，坐於客堂左隅。

黔婁 (指點)陶潛先生，這位是東園公，那位是綺里季，那二位一爲夏黃公，一爲角里先生，所謂商山四皓者，是也。

陶潛　久仰，久仰！但不知四皓何以至此？

朱韋　當秦政做了皇帝，用財閥呂不韋爲相，用軍閥王翦王賁爲將，以統一天下。他要想世世爲皇，所以自己叫做始皇。於是興土木，徙富豪，坑儒生，焚詩書，虐民暴政無所不至。我們既受秦政苛虐不堪，於是逃避山中。有天我們在桃花溪上遇着桃花之神，蒙她指示，我們因率村人來此絕境。適榮叟黔婁諸公早已居此，我們便就組織一個小國，以求達到人生之真趣味。所以沒有首領來欺騙我們，沒有政客來蠱惑我們，沒有財閥，軍閥來壓迫我們，終日甘其食，美其服，無貧無富，無憂無患，其樂陶陶。

黔婁妻攜酒殽及各食具置客堂席上而出。黔榮陶等環坐啖之，合唱歌。

有蔬充我口，有酒飽我腸，

有月陪我醉，我歌樂且狂。

周元道　陶先生從外間，應知外間的事。今秦嬴傳到第幾世皇了？

陶潛　唉！秦嬴只傳到二世皇時，國內大亂，二世被趙高所殺，阿房宮被楚項羽所焚，秦朝就沒有了。自那時到今共經過了漢魏晉等朝，四十多個皇帝，四百多年。現在主中國的就是劉裕的宋朝了。

饌畢，食具撤去。

榮叟 陶先生，而今中原猶安定嗎？人民猶快樂嗎？

陶潛 不，不，現在分為南北兩朝。南朝天子就是剛纔所說的劉裕，他底皇位是偷來的。北朝天子姓拓拔，他底皇位是掠來的。南北的天子都是秦始皇一樣，每日和一般武人政客財閥除了剝奪百姓的血脈外，還要南北搆兵。今日北伐，明日南征，近五六年來打戰不少。師之所過，荊棘生焉，百姓們幾無孑遺。不獨南北常常打戰，就是南北朝內部也互相爭奪地盤，釀成戰禍。總之，這輩毫無心肝的人，不管百姓苦不苦，只管自己得地盤。可是強鄰都睜目視了中國，都想吞中國，將來中國的禍患，怕有亡國滅種的危險！

黔婁 我們幸來此境了。不然，怕也是當軍閥政客的魚肉了。可是苦了在外間的百姓，沒有方法可去救他們，眞是我心戚戚！

時已夜半，榮叟，四皓等均散，陶黔均預備去睡。月光如銀，淸風微吹。

台上全體黑暗，人聲俱寂。沉默數分鐘

全台突然光明，黔榮四皓陶潛等坐於客堂中，均顯歡樂之顏。日光斜射入於中庭。

陶潛　我到這兒來了幾天了，蒙公等厚待，並邀我遊遍了此間山水花圃稻田，所受益處眞是不少。可是我家中尙有老小，不能久留於此。今天日將西斜，就從此告別。昨日我看見黔公花園的東籬下，有菊一盆，他底嫩芽兒好似向着我笑，願和我結爲朋友一樣，黔公可允將此盆新菊給我嗎？

黔婁　陶先生今既欲返府，我們不敢強留。只是先生回去，萬不可向外人說及我們這兒。因恐汚濁之徒犯罪畏罰，逃奔來此。致使我們這自由的地方將成逋逃藪了。東籬下的那盆新菊，先生可以取去，我們這兒的菊花已有八百餘種，可惜先生帶不了多少去！

陶潛　（起身）謝謝厚惠。現在日已西斜，我從此告別了。

黔婁妻自內趨出。

黔婁妻　陶先生，你在此數日，儂因羈事羈身，沒有多陪先生。今先生將行，特告訴先生一言，此間女子，都能振起精神做事，所以人人都能獨立。望先生回去，好自教導故國女子。

黔婁妻入內，黔榮四皓等送陶潛出門。已而陶黔等已抵東籬下，陶取菊，喜極。時有三五黃鶯戲舞空中，陶潛唱道。

采菊東籬下，悠然見南山；

山氣日夕佳，飛鳥相與還。

此中有眞味，欲辨已忘言。

榮黔四皓等亦同歌。

昔迎君至此，今送君歸去。

今日遠別離，他日難再遇。

願君如日光，照着自由路；
願君如女神，伴着自由宿。
於斯有佳境，勿與外人語。
臨別贈君言，望君長記取！

黔榮等送陶至村左之山口處，相揖而別。陶從山口出去，黔榮等返。

（幕落）

第三幕　迷津

佈景　清水一溪，綠楊夾岸，羣山糾紛。溪上游烟漂渺，不見一物。淺灘有雁羣集。

幕弛，溪中游有漁舟泊於溪左岸柳下，陶潛把釣不語。溪下游遠遠有帆船一艘，水手二人搖艄撑篙上駛，艙中有衙吏二人談話。

衙吏其一 我們劉太守聽得武陵一個漁翁說這兒有個什麼桃花源，那個地方比別處不同，非常清雅快樂。劉太守做官厭了，想到這桃花源裏偸下閒，休息幾年，好再去做大官，發大財。我們自從他辦事到今，弄的錢可算不少，若他要到桃花源裏去，我們就往那兒去幹這樣好勾當咧？

衙吏其二 我們眞要倒霉了！劉太守若到桃花源裏住，換一個新太守，我們的差事掉了，吃官司的錢也弄不到手了。我們又不能像勞工一般作工，並且穿吃都闊慣了，手裏沒有儲蓄得錢，不像劉太守擁金百斛，任意使用，我們將如何設法自救啊！

衙吏均作憂慮狀，水手其二放歌。

哥哥你搖着艄，我來撑着篙。

別怕那山也巨濤。

只怕兄弟不同心，一個要往前駛，一個要往後操，

到那時舟兒翻了，阿儂身葬鯨鰲。

水手其一歌。

弟弟你撑着篙，我來搖着艄。

同胞們努方前進，怕什麼巨濤！怕什麼鯨鰲！

船已抵溪中游。

水手其一 （指點）老爺，你們看這溪的上源已成烟霧世界了。我們不看見水道使船，怕遇着險灘把船打破，我們會要溺死，這就如何幹咧？

衙吏其一 （指點）那兒不是煙霧罩了，那兒是與天邊相接，多年是將到天河了，我們快去到天河會織女去罷！

衙吏其二 錯了，張騫使西域到了天河，天河在西方。諸葛亮征南蠻，五月渡瀘，瀘上瘴霧迷天，兵士吸了那些瘴氣死亡甚多。我看這兒是南方，定是瀘水支流，所以有這烟霧。我們快回去罷，免受生命危險！

衙吏其一 不錯，定是瀘水支流了！水手們，快把船頭向下駛，逃脫這危險罷，快，快！

船向下飛駛，霎時不見。

一葉扁舟自溪下游上，舟中老艄公一人，衣青衣裳；劉驎之衣道士服，坐船頭前望。艄公持白帆繩，吹口哨，劉驎之扣舷而歌曰。

南北不和兮中原多故，豺狼當道兮人民離散。

余辭長吏而出遊兮保身，將往桃花源兮避亂。

舟已至溪中游，與柳下漁舟相近。

劉驎之（立船頭問陶潛）我是南陽劉驎之。因聞桃源之勝，探訪到此，前路茫茫，不知從那兒可到桃源，望老人示我前路。

陶潛歌而不答。

前面烟霧間，便是自由處，

君爲桓氏臣，君爲桓氏助。

君非自由人，那得自由路！

君不見，桓司馬，買德郎，

　　手握兵權貪似狼。

　　可憐哀鴻遍四野，枯骨滿沙場。

劉驎之　老丈所言眞是不錯，可是桃源到底在那兒？

陶潛仍歌而不答。

　　桃源之所在，在漂渺之鄉。

　　勸君休問我，人生夢一場。

劉驎之　艄公，據漁翁說來，桃源竟在無何有之鄉了。既是如此，我們且回

　　去罷！

艄公駕舟隨流水而下。

陶潛仍把釣嘯歌。

　　萬族各有託，孤雲獨無依，

　　曖曖空中滅，何時見餘暉，

朝霞開宿霧，衆鳥相與飛。
遲遲出林翮，未出復來歸。
量力守故轍，豈不寒與饑。
知音苟不存，已矣何所悲。
時春水盈盈，雁聲呷呷，芳草萋萋，歌聲隱隱。

（幕落）

十一年七月二日於長沙。

生別離

人……吳樾（年二十七歲）

　吳樾未婚妻（年二十四歲）

地……北京城中，花園一所。

時……清朝德宗三十一年，首夏之一夜。

景……月色皎潔，明星燦爛。

花園正門，額曰：菊隱園。入門有假山一帶橫亘於前，山上以女蘿籠之；山下有洞口，口通小徑，徑達一亭。亭前有池，池中有菱荷而鮭游魚；亭後有土臺一座，高不盈尺，面積約畝餘，植以各種草本花卉；亭左為修舍數楹，乃女主人讀書之院，院中設備幽雅，除中西書籍及器具外，尚有簫瑟風琴生花字畫等物飾之。

園中小道縱橫，道旁皆雜植松柏楊柳桃李梅梨石榴等樹，鳴禽棲息其間。

青蛙夜鶯，鳴聲上下。院中鐙火煇煌，光芒四射。

吳樾未婚妻淡妝蓬首，坐書案旁鼓瑟而歌。

簾外雨潺潺，春意闌珊，

羅衾不耐五更寒；

夢裏不知身是客，一晌貪歡！

獨自莫憑闌，無限江山，

別時容易見時難！

流水落花歸去也，天上人間！（浪淘沙）

此時吳樾學生妝，衣扣孔中插疎麻數莖，顏色憔悴，形容枯槁，手提一小箱，倉卒入園。聞歌聲，止步傾聽，點頭會意，漸顯悲狀。少焉院中瑟歌將畢，忽變徵聲，樾乃前行且歌曰：

壹陰兮壹陽，衆莫知兮余所爲！

折疏麻兮瑤華，將以遺兮離居。（楚辭）

院門開，鋁幔啟，吳妻趨出迎逆。二人相見時各帶有無限悲哀，相顧無言，攜手入院。吳樾置小箱書案上，二人併坐書案前。

吳妻　（唏噓）呀！先生，五大臣出洋期在何日？

吳樾　（淚欲落）那些孽物準於明日乘火車出京，我特來和女士告別的。（從衣扣孔中取出疏麻，袋中取出相片。）前日我照了全身的相片，今日從城外折來了幾莖潔白的疏麻，今夜把這相片和疏麻一併送於女士，以作離別的紀念。（聲音漸低）啊喲，我們的愛情已成空夢了！若到了明夜，恐怕我已……（淚落不能成聲）

吳妻　（以巾代樾拭淚並執其手）先生何為泣涕！我們在這黑暗世界裏生活，實在痛苦萬分，那個地方不是孽鬼嗁哭，豺虎食人？先生慨然刺五臣，為民除害，這種氣節使我十分欽佩；可惜我是個孱弱女子，不能做你的助手，實在慚愧！先生萬不可被愛情所拘束，國家比愛情重要多了。愛情是我們生命的源泉，國家是我們愛情的生命，倘使國家滅亡，愛情何在？

吳樾　我最恨的是那些寡廉恥的文武官僚，他們只知以權利爲生命。外人利用中國官僚這般劣性來侵侮中國，今日訂一約，明日割一地，我想不到十年，中國將完全爲外人所鯨吞了！我幹這犧牲事業，在他人是覺得很難，在我是很願意幹。一則揭破清庭僞憲法的黑幕，使國人羣起攻之；二則使外人知道中國尚有男兒，稍知警惕；三則暗示後人以炸彈對待假憲法名義，實行專制的魔王。但此舉不知要給女士多少痛苦，女士喲！我眞害了你，你將不能再見我的身軀，你將不能再得我的安慰，我與女士一生的幸福從此犧牲了！唉，我的腸斷成千段了！我的心碎成萬片了！（復哭泣不能再言）

吳妻　（懊喪狀）先生爲什麼又這樣傷心，做小孩子的醜態？先生去幹這種人所不敢幹的事，就是你給了我永遠的安慰，和你得了人生眞正的幸福！身軀是要枯朽的東西，留着在這悲慘世界裏有什麼用咧？先生別悲哀了，我們照平日相會一般，且快樂一會罷！可帶了洞簫風琴到亭子裏去玩一玩，豈不好嗎？

吳樾 （拭淚點首不語）

二人帶樂器至亭中併坐石磴，吳樾吹簫，吳妻彈琴唱歌。

勸君愛國救同胞，幾個男兒志氣豪？

愧我無才難共濟，莫因離別賦牢騷！（詳附白）

吳樾 女士，你這勉勵我的歌，我是萬分感激，可是我喜歡聽你唱英文歌，請你唱那天唱的 The Isles of Greece. 罷！

吳妻 （頷首，唱）

The Isles of Greece, The Isles of Greece!

Where buring Sappho loved and sung,

Where grew the arts of war and peace,

Where Delos rose and Phaefus sprung!
Eternal Summer gitds them vyet,
But all, except the sun, is set.

希拉島兮希拉島！薩浮永歌其懷抱；
文武藝術生於斯，日諸月諸所在造，
悲彼懍烈不可留，長夏亢陽終不老。　（希拉島第一章）

The Scian and the Teian muse,
The hero's harp' the lover's lute,
Have faund the fame your shores refuse,
Their place of birth alone is mute,
To sounds which echo further West
Than your sirs' "Islrnds of the Blest."

賽蘭太蘭其高歌，歌聲悲壯與綺羅，

詩人之名芳萬古，此地寂寥可奈何！

西島怒號迴聲多。　　　　　　（希拉島第二章）

吳樾　女士你唱拜龍(George Gordon Byron)這歌兒，唱得何等地悲惋！

拜龍是個愛國詩人，他的作品與我國屈原的是一樣，我聽了把我的痛苦

都忘却了。啊，夜鶯和雞兒不唱他們那無辭的曲調，來傾聽你的愛國歌

聲，我想他們也是愛國的動物呢！我仍吹簫，請你再唱下去罷！

吳妻　（同前）

And where were they? and where art than,

My country? On thy voiceless shore

The heroc loy is tuneless now——

The heroc bosom heats no more!

And must thy lyre, so long divine,

Degenerate into hands like mine?
伊人魂魄與誰居？故國精華已何往？
壯士悲歌久無音，英雄血冷我心怏！
詩人皎潔長久留，七弦琴聲今絕響！（希拉島第五章）

'Tis something in the dearth of fame,
  Though link'd among a fetter'd race,
To feel at least a patriat's shame,
  Even as I sing, suffuse my face;
For what is left the poet here?
For greeks a blush——for greece tear.
此邦刼後有遺民，嗟彼夷人虐我族！
愛國男兒恥為奴，吾今悲歌吾額蹙。

阿誰方敢棄詩人？我爲希拉羞且哭！（希拉島第六章）

Trust not for greedom to the Franks,
They have a king who buys and sells,
In native swords nad native ranks,
The only hope of courage dwells:
But Turkish force, and Latin fravd,
Would break your shield, hower broad.

弗蘭自由不可信，彼國君王狡且貪。
揮我長刀與壯士，鼓我勇氣方心甘。
突厥忤兮拉丁詐，裂彼堅盾將何堪！（希拉島第十四章）

吳妻　我歌倦了，請先生歌罷！

二人交換樂器，吳樾帶嗚咽唱。

麥秀漸漸兮，禾黍油油。
彼狡童兮，不與我好兮！（箕子悼殷歌）

握手一長嘆，淚爲生別滋。
努力愛春華，莫忘歡樂時！
生當復來歸，死當長相思。（蘇武別妻詩）

吳妻 唉，箕子是個無能力的可憐蟲，不能把那虐待百姓的紂王除掉，拯救百姓；到了周滅紂後，再來唱這喪氣的歌，於國家人民有什麼益處？蘇子卿他雖飽嘗了險阻艱難；然而他的氣節卒把可怕的環境打破，回到漢朝來了。他的精神眞是怪可愛哩！我希望先生也和蘇氏一樣的成功罷！不過這歌兒太悲哀，使人不忍卒聽，我也被牽動了一線悲情呀！我們不在這兒唱歌了，借了月光到亭外散步去罷。

吳妻挽樾手出亭，蹁躚至池邊，均俯視池中，現愉快狀。

吳樾　女士你看這荷菱直挺挺地立在水中，好像在那兒譏笑人類貪生畏死無獨立性一樣；遊魚在水面跳躍，水面生了微波，多麼好看呵！我們人生是悲慘的可憐的，沒有遊魚的自由快樂，荷菱的獨立精神，眞可羞呵！我不願在此看了，難忍受荷菱他們那種譏笑，我們人類是不如植物喲？我們唱着隰有萇楚詩走呵！

吳妻……

隰有萇楚，猗儺其枝，
夭之沃沃，樂子之無知。
隰有萇楚，猗儺其華，
夭之沃沃，樂子之無家。
隰有萇楚，猗儺其實，
夭之沃沃，樂子之無室。（詩經）

二人且歌且走，穿一小徑，徑旁有梅數株，黃梅滿枝，吳樾折梅數枚。

吳樾　上月我們徘徊此地，梅兒未熟，我們折了兩個嘗了，其味太苦；今梅兒熟了，我們又來嘗他的酸味。這果兒暗示我們人生是虛偽甘美，眞正酸苦，可不是一種人生哲學的果兒嗎？

吳妻　（沉思不語）

少焉，二人行抵土台，穿花叢而行，樾仰望天空。

吳樾　女士看呵！一線黑雲把月兒射破了，怕莫是赤虹貫日一樣的先兆嗎？天河裏的狂瀾把那些可憐的小舟打破了，舟子們都深沉在水裏；北斗星酌滿一斗鴆酒把老人星毒倒了；大熊星張開巨口想把少女星吞吃；牛郎在天河邊呼他的愛人，他的聲音已呼嘶了，他的眼淚流到天河裏，把河水增漲許多。啊喲，天上也是和地上一樣的傷心慘目呵！我也要到天上去救那些可憐的人呀！

吳妻　先生，你的經神太刺激了，你宜珍重著，方不得誤大事。我想凡人做事，總宜以冷靜的頭腦科學的眼光去做，必不得失敗的。先生別把這悲慘的人生記憶著罷！你看那徑前新開的石榴花，血也般的紅著煞是好看！花開花落，就是寫照人生是個長夢哩，時而醒，時而睡，與莊周先生說的那「死生為晝夜」的話相同，我們何必計較人生的悲慘啊！

吳樾　女士說的這種超然人生觀，確是可以安慰我的靈魂，佛說「色即是空，空即是色。」這話與莊周先生所說的相同。說到此地，我的一切悲哀都沒有了。（顯愉快狀，並從腰間取時錶一閱。）呀！今已夜半，我要走了，恐怕誤了大事；但是沒有好地方可以化裝，特地帶了化裝的衣服等件來了，想在你這兒化裝，免得明日倉卒。

吳妻　不錯，你可在這兒化了妝再去。

二人急回院中，吳樾開小箱檢點化妝服物，吳妻助理之。霎時，吳樾喬妝為差人，頭戴大帽，身穿皂袍和馬褂，手持護書一本。吳妻在箱底取出圓柱形炸彈一枚，現驚奇狀。

吳妻　這就是炸彈呀！這物比匕首有用多了。現在那些殘民以逞的官僚，倘若人人都被炸彈炸死，豈不干淨嗎？

吳樾將炸彈納入懷中，執其妻手，依依不忍別。

吳樾 我去了，我們恐難再見了，現在就好像荊卿易水別，我們唱着易水歌分別罷！

吳妻 好，我歡送你到園門處去，我們沿途走沿途唱，多麽好咧？

風蕭蕭兮易水寒，

壯士一去兮不復還！

此時月將西斜，微風吹衣。二人攜手反復唱易水歌，足合歌拍一步一步前進，抵園門。

吳樾 （鞠躬）女士請回院去，明日的事我自有把握，你可放心，你自珍重。（注視其妻，忽顯悲哀之微笑。）

吳妻 （鞠躬）先生此行一定可以成功，我在這兒敬候消息；倘若你以身殉了國家，我就以身殉愛情，我們共同生死，精神非常快樂，暫時別離，不算什麼一回事咧！請先生快去罷！

二人行禮而別。吳樾且行且回首；吳妻倚園門望之，至不見樾影始返院。院中燈火半暗半明，光呈悲慘色；月光從窗隙射入，斜照吳妻蒼白之面。吳妻獨坐唱歌。

樂莫樂兮新相知！

悲莫悲兮生別離！（杞梁殖妻哭夫歌）

（幕徐落）

附白 桐城吳樾夫妻殉義軼事，余在葉北巖兄處聞之頗詳，因有感懷，故作此劇。惜吳樾夫妻之作品，余僅得其妻所作之七絕一首，尚有絕命等詩無從訪得，實為憾事。

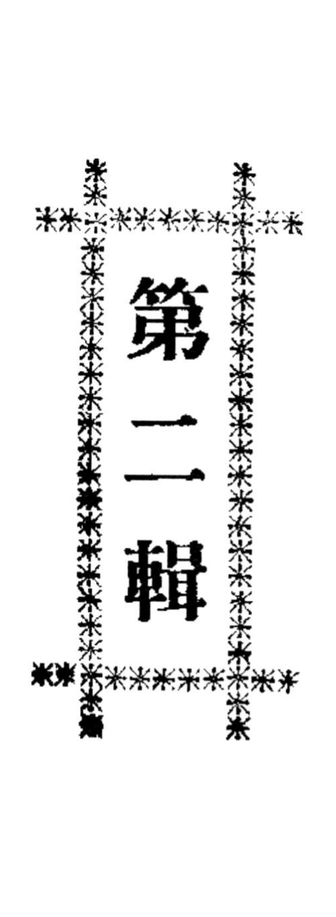
第二輯

春意

（一）

醉了春意的詩人，
放了史密司文集，
垂着頭兒睡覺。
綠湮湮的蘭花，
向着詩人淺笑：
「甜睡的詩人喲！
我那幽香要把你的夢魂香透。」

（二）

柳枝兒微微地顫動，
東風吹來了花信：
「吾愛她住在那裏？」

我雖知道他是問我，
我羞，只低着頭兒不應。

（三）

姐姐擫着鼓兒，
妹妹唱個催春曲：
「花神爲着花兒來，
花兒爲着花神開，
花神去了花兒落，
只留鵑鳩兒空啼。」

（四）

司春的女神，
穿着紅玫瑰的輕羅，
轉着長相思的秋波，

嬌鶯兒留住春風道：
『行不得也哥哥！』

（五）

賞花的女郎說：
『被風吹的芭蕉，
你不要心憂；
被雨打的梨花，
你不要淚流，
我願把你們的心和淚，
寄與我的——哥哥收。』

（六）

和粉牆相映的李花！
我願把我底身兒給你

你可把那香軟的嫩唇，
和我親個相愛的嘴。

（七）

殘霞般的桃花，
她把綠巾兒遮着紅面，
好似帶着些羞顏，
怕和那春風兒相見。

（八）

紅的茶花呀！
你那火也似的笑靨，
可不是一塊血嗎？
血呵！
我願你染遍天下。

（九）

強盜似的秋風死了，
被秋風吹枯的楊柳活了。
羡殺我也呵，
楊柳像小孩似的晒着太陽眠了。

（十）

柳葉兒發了，
柳花兒開了，
去年爲我織柳枝籃的伊，
如今到那兒去了？

（十一）

清風吹來了花氣，
我不愛她的香味，

就早閉着門兒深深地。

「丁當，丁當！……」門鈴兒響了」

「敲門的人喲！

你是誰？」

我把門兒打開，

沒有人進來，

也沒有人相招，

只有門庭前的松柏，

好似行禮般彎着腰。

被圍的女神

恍惚有人在雲中呼救——

發出那悲慘的柔聲，

把我底心兒打碎了。

有個裝着波俏的女神
被羣鬼深深地圍着。
女神性急了，
眼中流下絲也似的香淚。

女神喲！
你爲什麼裝飾這麼的華麗，
羣鬼的靈魂都被你銷盡了，
誰也不向你討取。

女神喲！
快褪去你那薜荔的錦衫，」

紫羅蘭的羅裙；

剪去你那烏雲的環髻……

裝着那天國的自然神，

羣鬼將遠遠地逃匿。

火炎

司火炎的女神，

穿着桃花般的衣裳，

舞着榴花般的火輪，

周旋在天空之中；

火輪放着熊熊的火炎，

散布了紅色的天空。

火炎，火炎，火炎是：

愛羅先柯說的世界火炎。

人們的心兒，
將被他熱透了；
愛情的深海，
已被他燒枯了；
詩人的淚泉，
又被他煑沸了。
司火炎的女神喲！
你把火輪收藏罷！

言論自由嗎

日記，我親愛的日記！
你害我不淺了，
我不再和你周旋了；
恐將來你致我於死地！

你快去！
毋留戀你那不留你的狂人，
快到那無何有之鄉去處；
免來擾我心，留我悔，
打破我靈機，勞苦我身體。
四境都是強盜，
我非不愛你，
我無愛你的能力，
不能保護你。
言論自由嗎？
撓不住啊！

我倆暫時分袂，
後會有期。
你可不必悲傷，
也許不必歡喜，
將來會了的時候，
我給你許多安慰。

呵喲！
我的筆尖兒巳禿了！
心琴的弦巳斷了！
誰也笑得我死咧？
誰也哭得我活咧？
誰也相識我咧？

愛人呀！
這大地茫茫，
處處都是屠場，
處處都是腥氣衝天，
豺狼當道，羣鬼跳梁，
我何以生咧？

附註　愛人，是指黃愛龐人銓二君。　十一，五，十。

白雪

一片，一片，無數片，
花神撒下了梅花片，
朝暾來了都不見。

十二，一，十九，早晨。

搖尾乞憐

黑雲把光明逐去了，
暴風把和平逐去了。
楊柳向着北方動搖，
好似向風姨行禮；
芭蕉在窗外啼悲，
她的葉兒破碎了，

芭蕉妹妹！
不必啼悲；
你葉兒雖碎了，
你心兒還是圓滿，
忍耐着，
太陽哥哥不久就到這兒來，

莫學楊柳那般搖尾乞憐！

十一，七，九 長沙。

誰的咎

鳳仙花兒穿着美麗的衣裳，
笑迷迷地立在園裏，
遊園的少年被她迷惑了。
啊喲，
園丁荷着花鋤來了，
鳳仙花兒跳在花盆裏，
遊園的少年將花盆帶去了。
鳳仙花兒坐在客堂裏，
遊園的少年把她嬉戲。

『可憐的鳳仙花兒！
這是誰的咎？』

「桃源月刊」的祝辭

花神提着籃兒來了，
可愛的桃花在籃兒裏微笑，
一陣陣地香風來了，
青年們的靈魂將被她香透。
花神喲！
我願你拿着自由之花，
插遍中華；
桃花喲！
我祝你放着燦爛之霞
照遍中華。

附註　晚餐後，八李君拿來一本「桃源月刋」的稿子給我看，我看了不覺得寫了這首詩，李君把他拿去了。

十一，五，廿五晚，長沙。

訾農

稻田中的麥兒黃了，
農夫的成績展覽了。
假塞的麥稿，
微細的麥粒，
睡在田中深深地。
我問農夫種麥法，
農夫答我：「法古。」
法古的老農呵！
你們知道新是什麼？

你們底收穫豐富麼？
法古，法古呵！
誰是博物館的古物？

附註　稻田女師范十周年紀念日，開成績展覽會。但是她們以農夫自比，「法古」自詡；而作文大都與八股相若，故余有書農一詩。

十一，五，四於長沙。

夏夜

(一)

黃金色的飛蛾，
你和鐙火有什麼愛情？
你雖和他跳舞，
他竟殺了你的身。
蛾姐姐，

鐙火是危險的惡物！
好似荷鎗的兵。

(二)

月兒，你放着秋波似的光明，
彈動了我的心琴，
如同我有些兒濃密的愛情。
星兒，你那梨花似的光芒，
竊過了我的破窗，
到我床頭來談情話。
螢兒，我把窗兒打開，
歡迎你進來。
問你何處住
問你何處來。

喊，我是你的愛人，
我願和你飛舞，
你可不要歸去。

（三）

明月把我送到睡鄉去了，
我從睡鄉裏囘了家。
我呼着我溫和的媽媽：
『媽媽，你的兒子囘來了，
你別思念你的兒子了！』
媽媽歡喜迎着我，
她說『我兒，我縫給你的長衫如今破了，
你怎麽不早些兒囘來？』
忽被夜鶯把我喚醒了，

我口還呼我的媽媽，
不知道是睡鄉裏囘了家。
矇矇地自問道：
「這什麼地方？
啊，長沙！
這是什麼時節？
啊，夏夜！」

送明誠

明誠，
你今天北去嗎？
我希望你把那蓬勃勃的，
向上心兒帶去，
矮胖胖的強壯身兒帶去；

萬不可把這兒的殺神帶去，
怕他到那兒去殺人。

明誠，
你何日南歸咧？
我希望你把優美的學識帶歸，
高尚的道德帶歸；
萬不可把那兒瘟神帶歸，
怕他到這兒來害人。

明誠
你取道君山嗎？
請你向湘君湘夫人說：

「你們的愛人死了，
他死得很愉快的，
你們不要再哭了！」

十一，三，三，於湘江濱。

雨下的詩人

黑森森的雲兒布着，
骨都都的雷兒響着，
如彈也猛的雨兒落着。

有個怪可怪的詩人，
滿面兒神祕的愁容，
直呆呆地癡立在雨中。
大雨往詩人的身兒打下，

詩人岩立着不動。

江上嗚嗚的汽笛好似問：
『詩人，你可不是亂了神經？
還是走失了靈魂？
你可是在那兒鍾情？
還是在那兒傷心？』

汽笛停止了問聲，
詩人立着在雨下。
汽笛這樣高興問着，
詩人不知自己怎樣兒回答●』
船兒將汽笛載去了，

詩人還是雨下的詩人。

別的時候

黑暗蹁躚地來了，
「微光」將要去了。
我和微光分手說：
「我愛，你何時回來呀？」
東園牆下的李花問我：
「喊，你哭的什麼？」

我含着淚珠兒說：
「微光她將別我去了，
她不和黑暗在一塊兒生活，
她將去住那自由的天國；

可奈這如海也深的愛情，
我將如何舍得！
李花，你這懷妒的賤人！
任你如何獻媚
萬難打破我愛她的深情，
拂去我哭她的濃淚。』

附白　湖南民治日報副張「微光，」因受舊勢力逼迫停刊，另請李某冬烘仍作古董生意；余憤湘報紙之不振，故有此詩。
時十一年三月二十日也。

「戀愛的悲慘」的序詩

我看着園中的黃菊，
想到了司愛情的女神。
想像威娜司Venus

26 菊 園

她披着蜻蜓羽的輕羅，
拖着薔薇花的紗裙，
散着髮，赤着足，
撒着愛情的種子，
唱着散布情種的歌：
「情種呀，快去罷！
快到溫柔鄉中，
生出嬌嫩的芽，
開出美麗的花，
流出陶醉的美釀，
放出燦爛的光霞；
美化靑年人們的靈魂，
使佢們悲慘着，快樂着。

情種呀，快去罷！」

我看見湘江之濱，嶽山之峯
有兩個天眞熳爛的少年兒女
擁抱着愛情的花兒，
一個呼，一個應，
好像碧梧上鸞鳳和鳴。

呵呵！
風姨搖着招風旗兒來了，
雨師拿着蓄水瓶兒來了，
犨鬼吹着催命的簫兒來了，
少年兒女的浩刼來了。

戀愛的一切悲慘呵，
悲慘的一切戀愛呵，
佢倆的淚，流成了九曲之河！
佢倆的心，碎成了萬片之珂！
佢倆的生命，將被羣鬼捉去呵！

看呀！
安其兒Angel持着符節來了，
風姨，雨師，羣鬼都被驅逐了」
少年兒女的愛情復生了。
戀愛的一切快樂呵，
快樂的一切戀愛呵；
佢倆的歡聲，好像梁燕的嬌歌」

伵倆的笑容，好像春水之微波，
伵倆的命泉，永遠洶湧不斷呵！

我是個迷夢的狂人，
不知什麼是愛情，
獨立在這孤寂的海岸，
聽着愛海的歌聲。
放歌聲的愛海喲！
我祝你歌着幽婉的清音，
安慰靑年人們的靈魂。

附註　戀愛的悲慘一書，係黃俊君所箸。　十一，十一，二十三，於南方大學。

作了「一年的江聲」以後

江娥彈着自然琴，

放出一片幽雅音，
震動了無際的天空。
天女唱着自然歌，
和着江娥琴音，
驚醒了恆河沙數的夢人。
江娥的琴呵，自然的琴音，
天女的歌呵，自然的歌聲，
永遠奏唱不停！……

附註 江聲係指漢口江聲日報。 十二，一，廿八於上海。〕

心湧

（一）

倚牆兒立的那些綠衣女郎，
她們眼裏發出夢幻的情光，

仰着天兒長嘆：
『愛神喲！
你說句：「我愛你」嗎？』

（二）

楊柳在池邊舞蹈，
女郎在壁上微笑；
她們這般的殷勤，
却有些意兒落後。

（三）

獻媚的桃花！
折花的孩子來了！
獻美的金魚！
捕魚的傖父來了。

桃花插在瓶裏，
金魚放在缸裏，
牠們不能自由了。

（四）

可惡的春雨！
這裏沒有你的愛人，
爲何來得這般濃密？

（五）

可憐的海棠花！
你不是個玩物嗎？
爲何任蜂兒玩着？

（六）

樓上那清癯的少年，

整日裏埋心在書中。
却被温柔的柳絲，
迷住了他的神情。

（七）

看不厭的紅樓夢，
流不斷的相思淚。

（八）

桃花帶來了胭脂，
賈寶玉呵！
你可去吃嗎？
神州遍藏了妖魔，
孫行者呵！
你可去捉嗎？

若等到胭脂搽遍了婦女們的面，
妖孽吃盡了神州的人，
我就恨你們倆了。

（九）

前顧後盼的人，
何不生隻眼在後腦？
免得又要行路又要回頭。

（十）

選舉議員期來了，
歌館的女伶唱殺了，
酒樓的酒保忙殺了；
運動當議員的人們，
用心太可憐了。

(十一)

東風流着濃艷的淚珠兒去了，
南風唱着幽嬈的歌兒來了，
她唱着慈母催兒眠的歌，
把講堂裏的人們催入睡鄉了。

(十二)

我心是個鶯兒，
飛上石榴花枝；
我把石榴花兒吻着，
想吃盡她的胭脂。
呵，危險呀！
紅的是人們底血罷！

(十三)

瞌睡蟲鑽入了我眼裏，
黃鶯兒唱着催眠曲，
我就躺在桃洞裏。
安適的睡呵，
睡到何時夢醒呵！

（十四）

馮夷在水底笑着，
天魔在雲中舞着。
柳下凝立的少年，
你想的什麼？

（十五）

我不羨慕小孩子，
我是孩子長成的；

我不厭惡白骷髏，
我也要做骷髏的。
呵，我看操舟謠：
『飄搖，飄搖，飄搖你的舟！
溫和地泛到中流；
快樂，快樂，快樂江上浮，
人生猶是一夢休！』

（十六）

羞不死的太戈爾！Tagore
你是將人剖解室的古怪。
為什麼寫着甜密的情詩，
騙盡了美人的愛？

夜深了

（一）

夜深了，
人們多同骷髏似的臥了，
可憐那陪着孤鐙的伊，
長思着伊的愛人歸。

（二）

明月穿入繡梱，
照透了美人的凝脂。
「淚痕滿面的美人呵！
你在 上恨的是誰？」

（三）

柳外高樓的鐙光，
照着水波晶晶地；

池裏不住聲的蛙兒，
唱着歌兒閙閙地；
明月在水中叫我；
『快來和我嘗這淸涼味！』

(四)

死了的夜，到明晨復活了；
去了的月，到明夕又來了；
燒了的灰，是永遠不燃了。
美人呵，不來了！

街上行

(一)

修路工人！
請你鏟平世道罷，

免得世道不平。
揩玻璃的小朋友！
請你核我心鏡罷，
免得心鏡不明。
拖糞車的老翁！
請你載去一切齷齪罷，
免得臭氣薰人。

(一一)

路傍的紅旗，
表示他是危險嗎？
人們偏向紅旗行！

(三)

汽車妖魔撒着黑色灰塵，
放着殺伐的歌聲，
路人的身葬在灰塵裏。
呵，我知道了！
這是錢神作祟，
行路的朋友喲！
我們討伐錢神罷。

詩人的心花

詩人的心花是紙般的，
被猛烈的寒風吹萎了；
詩人的淚泉是清淨的，
被殘暴的惡魔汲去了；

詩人的靈魂，
徬徨在這死了的宇宙。
喊，詩人！
你可不要笑，
人生是枯槁的，
沒有歡樂的時候；
喊，詩人！
你可不要哭，
天道是循環的，
也有光明的道路。

破壞和建設

破壞之神，
他拿個鑽兒，
鑽破了地球，

地球內火燄噴出了，
社會的骯髒燒燼了。

建設之神，
她鍊塊水晶，
彌補了火炕。
沉淪的大地，
放着無限光明。

不見你

我給你這信兒，
爲着我不見你！
你不覆我佳音，
我怎不能疑你？

我的信——是我外之我，
信入了你眼裏，
就是我和你談笑；
信放在你手裏，
就是我和你握手，
我們依然是愉快，歡喜！

我見了你面，
不知怎樣歡喜！
滿腔兒心事，
不知從何說起
細瞧你黃花瘦的玉顏，
給我千端愁緒！

我不忍和你又別離，
可奈無情的火車
吹着笛兒催你；
只得說：再會！再會！
我站在這凄涼的道傍，
一刹那就不見你，

答周愛蓮君

蓮花哥哥你誤會了，
菊花妹妹她有傲情，
不愛失敗的詩人，
也許是她擇友的良心。

附白　菊園一劇，前曾載於江聲日報。頃有周愛蓮君來函，痛詈菊花；作者不忍因一劇而傷人性，故書此詩以釋之。

十二年，二月，四日。

五一的悲歌

（一）

轟轟烈烈的血鐘，
敲破了狂人的晨夢，
狂人喲！
你那盈盈的淚珠，從此要流了，
你那煩悶的腦海，從此要枯了。

（二）

狂人說：
我淚滿眼了，
我心破碎了。
可憐那柳梢頭的杜鵑，

唱着悲惋的歌兒
把我的魂兒銷去了。

（三）

哭，哭，哭呵！
竭力地哭着。
我無放棄心，
我無恐怖心，
哭到海枯石爛的時候，
我就把愛人哭活了。

（四）

黑霧把大地蓋了，
人們在黑暗裏生活；
豺虎趁着黑暗來了，

人們將被豺虎吃盡。
聽也呵！
那嗚嗚的哭聲，
可不是人們呼救嗎？

（五）

蘇非亞 Sophia 的炸彈，
如今到那兒去了？
安重根的手鎗，
如今到那兒去了？
工人們的汗滴，
沒有停流的時期。
愛人呀！
桃花般的朝暾，

照透天國了，
何時得回來呀？

附白 今天乃「勞働紀念日。」回憶血鐘的悲聲破空而來，不覺令儂淚下，寫此詩以弔黃龐二君。

十一，五，一，於長沙明德。

迷夢

（一）

我迷夢了。
我把我底骨肉，
一點滴切成了三角形的模型；
我把我的腦筋，
放在長江裏洗過了；
我又將把我的魂兒，

放在鎔化爐裏消溶。

（二）

我死過二次了：

第一次被老虎把我底身兒吃得乾盡了；

第二次被羣鬼把我底魂兒捉去燒化了；

現在這復生的我，

又被那熊熊的火燄烤枯了。

（三）

我有孩子氣嗎？

沒有向着媽媽哭餅兒吃；

我有神經病嗎？

沒有裸着體兒路上睡。

我的心兒自問道：

『你這睡了二十一年的夢人，
到今兒醒也未？』

（四）

綠楊橋上徐行的那位老婦人，
好像我那溫和的媽媽。
『媽媽，你到那兒去？』
她沒有回答我，
我上前瞧着她：
『呵，錯了，這位不是我的媽媽！
我的媽媽還在鄉裏住。』

（五）

回憶我十一歲時，
還在母懷裏尋乳吃。

乳水雖說沒有了，
却有點吃乳的滋味。
今我長成如許大，
不能容納母懷裏。
『母親呵！
請你把我縮小點罷！』

（六）

我是個逍遙的乞丐，
負着無窮的詩袋，
伸出灰白的瘦手。
「渺斯 Muse 呵！
多給我一些兒文藝罷！」

附註 渺斯係希拉司文藝的女神。

上帝

(一)

上帝能造人嗎？
婦人不要懷孕了
秀色可餐嗎？
農夫不要耕種了！

(二)

惱我的馬利亞——
你不應生個害人的耶穌！
耶穌釀成世界幾多戰爭，
給了人們幾多憂愁！

(三)

盜跖死利於東陵上，

耶穌死名於十字架上，
其殘生傷性，都是一樣！

(四)

耶穌創作了一個墳墓，
葬了千百萬骷髏。
活生生的人們喲，
莫入墳墓能！

弔王玉美女士

愛花落了！
詩人淚灑愛花墳；
戀人亡了！
詩人淚灑戀人墓。
同情的淚珠，

便是戀愛的酒漿；
戀愛的源泉，
便是詩人的生命。

我把我一掬同情淚，
灑在不識的美人墓上。

美人呵！
你可把你的麻姑爪，
折朵愛花給我看，
摘個愛菓給我吃。

永遠尋不得的樂園，
我不願再尋了；

永遠灑不盡的熱淚，
我不願再灑了。
夢境的菊園荒蕪了，
園中的菊神驕極了；
這芒芒的晝夜，
到何時終結咧？

附白　王女士，係蔣劍華君之愛人，十七歲卒於時疫。余因此憶被，生死雖不同，而傷心則一；聊寫此詩以弔人且弔己也。

十二，一，十於上海。

中華民國十二年三月初版
十五年一月三版

菊園壹冊
實洋貳角五分

著者 汪劍餘
校訂者 黃憲章
發行者 樊春霖
總發行者 新文化書社 上海西門口瑞秀里

本外埠各新書店均有代售

花木蘭文化出版社聲明啓事

此次《民國文學珍稀文獻集成》出版，有賴各位作者家屬大力支持，慨然允贈版權，遂使這巨大的文化工程得以開展。我社全體同仁在此向各位致以誠摯的謝意！

由於民國作者人數眾多，年代久遠且戰火頻繁，許多作者已無從知其下落。我社傾全力尋找，遍訪各地，能夠找到的後人，得其親筆授權者，爲數甚寡。更多的情況是，因作者本人下落不明，連版權情況都無從知曉。

因此，我社鄭重聲明：

此叢書所錄專著，凡有在版權期內而未授權者，作者家屬可與我社聯繫，我社願奉送相關贈書 50 冊爲報酬，補簽授權協議。

叢書第一輯，版權不明作者名單如下：

李寶樑、朱釆眞、黃俊、汪劍餘、ＣＦ女士（張近芬）、王秋心、王環心、謝采江、曼尼、歐陽蘭、陳勣、沙利、卜弋雲、陳志莘。

望以上作者之家屬看到此通知後與我社聯繫。

聯繫信箱：hml@vip.163.com

花木蘭文化出版社

2016 年春